O QUE A VIDA ME ENSINOU

www.versar.com.br www.saraivauni.com.br

O QUE A VIDA ME ENSINOU

VIVER EM PAZ
PARA MORRER EM PAZ
(PAIXÃO, SENTIDO E FELICIDADE)

MARIO SERGIO CORTELLA

VERSAR

Editora Saraiva

ISBN 978-85-02-09019-4

CIP-BRASIL. CATALOGAÇÃO-NA-FONTE
SINDICATO NACIONAL DOS EDITORES DE LIVROS, RJ

C856o

Cortella, Mario Sergio
O que a vida me ensinou / Mario Sergio Cortella - São Paulo : Saraiva : Versar, 2009

ISBN 978-85-02-09019-4

1. Cortella, Mario Sergio, 1954-. 2. Crônica brasileira.
I. Título

09-5613 CDD: 869.98
CDU: 821.134.3 (81)-8

Editora Saraiva
Diretora editorial: Flávia Alves Bravin
Gerente editorial: Marcio Coelho
Editoras: Gisele Folha Mós
Juliana Rodrigues de Queiroz
Produção editorial: Daniela Nogueira Secondo
Rosana Peroni Fazolari
Marketing editorial: Nathalia Setrini
Aquisições: Rita de Cássia da Silva

Editora Versar
Editor: Luís Colombini
colombini@versar.com.br

Edição final: Janete Leão Ferraz
Arte, produção e revisão: Editora Versar
Capa: Aero Comunicação2

2ª edição

Para Emília, Vida e Mãe, muitas vezes admirável.
Para Antonio, Vida e Pai, muitas vezes memorável.

SUMÁRIO

O QUE SE APRENDE COM O ÓBVIO

Ensinar vem do latim *ensignar*, vem de signo, de sinal, de deixar uma marca. Ensignar é o que você grava em algo ou alguém. Se uma pessoa me pergunta o que aprendi na vida até agora, minha resposta revelará tudo que me ensignou, as marcas que foram gravadas em mim. Revelará minhas características, meus caracteres, meu caráter. Perceba que as palavras ensignar e aprender estão conectadas, uma vez que ninguém ensina sem ter aprendido e vice-versa. Parece óbvio, mas pouca coisa é mais perigosa na existência do que o óbvio, essa âncora que paralisa o pensamento e induz à falsidade, à distorção, ao erro.

Quantas vezes você já disse ou ouviu alguém dizer isso: "Puxa, procurei as chaves pela casa toda e só encontrei no último lugar que olhei". E quem escuta isso geralmente diz: "Que curioso, isso também sempre acontece comigo!". Mas é óbvio. É claro que a pessoa encontra no último lugar que procurou, pois ninguém encontra algo e, em sã consciência, continua procurando o que já encontrou. Sempre se encontra algo no último lugar, e jamais antes nem depois.

Todo conhecimento e todo avanço vão contra o óbvio, contra tudo aquilo que ancora, que evita o progresso e o desenvolvimento humano. Sim, mudar é complicado, pois a mudança é contrária à imobilidade – e a imobilidade diversas vezes se esconde por trás da máscara traiçoeira da coerência. Os melhores artistas não são coerentes. São a antítese do óbvio. Picasso e sua *Guernica*, eis um bom exemplo disso. Guernica é uma aldeia que foi bombardeada em abril de 1937, durante a guerra civil espanhola. Picasso pintou um painel sobre o tema. Nele, não há nada de óbvio; não há bombas, explosões, soldados, nada disso. Mas basta olhar as pessoas que estão ali, o cavalo, para ver que o quadro retrata o desespero e o horror. Há muitas maneiras de fugir do óbvio, e os melhores artistas são especialistas nisso.

O grito também pode ser contrário ao óbvio. O diretor Francis Ford Coppola, no *Poderoso Chefão 3*, mostrou o grito mais silencioso da história do cinema, na cena em que a filha do personagem de Al Pacino leva um tiro e morre. Ao perceber o que ocorrera, ele abre a boca em desespero e grita sem som por uns 30 segundos, num silêncio ensurdecedor. Nelson Rodrigues disse que o que dói na bofetada é o som. Shakespeare disse que a vida é feita de som e fúria. Se você tirar o som, a fúria desaparece – no filme *Ran*, o diretor Akira

Kurosawa inseriu uma cena de batalha, retirou o som e, ao passá-la em câmara lenta sem som, foi contra o óbvio e transformou um confronto sangrento em um balé.

O que podemos aprender com o óbvio? Podemos aprender que ninguém nasce pronto e vai se desgastando. Nós nascemos crus e vamos nos fazendo. Sim, isso é óbvio, mas como eu aprendi? O que mais aprendi? Com quem, por que eu aprendi? E o que deixei de aprender, todas as coisas que ainda não aprendi? Quando aprenderei, se aprenderei? Sou sempre a minha mais recente edição, revista e ampliada.

Gosto muito de um verso em particular do grande poeta gaúcho Mario Quintana, que teve o infortúnio de morrer na mesma semana de Ayrton Senna, em maio de 1994, e, por conta da merecida celebridade do piloto, a partida do genial poeta ficou obscurecida.

Fazendo um parênteses. Eu viajo muito de avião e não gosto quando há pessoas muito famosas a bordo. Fico imaginando que, se houver um acidente fatal, quando divulgarem a lista de passageiros, as pessoas só vão prestar atenção nos nomes ilustres e eu serei "rebaixado", entrarei apenas na relação do "e outros", no pé da página do jornal. E nem eu nem ninguém quer ser reconhecido, seja na vida ou na morte, como apenas "mais um". Quer ser identificado como alguém especial.

Voltando. Mario Quintana por três vezes concorreu a uma cadeira da Academia Brasileira de Letras e, em todas, foi recusado, apesar de lá já terem estado e ainda estarem alguns "imortais" extremamente banais. Como forma de recusa à essa afronta estética e ética, o gaúcho, nascido em Alegrete, fez uma das mais brilhantes reações, produzindo um *Poeminho do Contra* (e é poeminho mesmo):

Todos esses que aí estão
Atravancando o meu caminho.
Eles passarão.
Eu passarinho.

Quintana também disse que, se um autor tem de explicar a seu leitor o que ele quis dizer com uma determinada frase ou conceito, um dos dois é burro. Pois, no meu caso, sempre considero que o burro sou eu. Quando escrevemos, nunca sabemos como seremos interpretados. Às vezes escrevo algo com a certeza de que aquilo vai chamar a atenção, mas as pessoas só dão importância a algo que não dei muita bola. É como se eu estivesse interessado no recheio e o leitor, na casca da empada, ou ao contrário. Isso mostra que raramente a gente tem controle, mesmo em algo que antes parecia ser bastante previsível e, portanto, controlável.

Mas é aí, na negação do óbvio, na eterna mutação do que está ao redor, que está a beleza da coisa.

Escrever, para apaziguar...

Viver pressupõe aprendizado e muita coisa que se aprende precisa de método – a determinação de razões e senões não deixa de ser um método para estabelecer sentidos à vida. Dos vários modos que existem para aprender a viver melhor, um dos que mais aprecio é a escrita. Para escrever, é preciso pensar. Para escrever bem, é preciso pensar bem. Escrever ajuda a elaborar o raciocínio, a sublimar emoções, a organizar o mundo. A escrita tem funções que muita gente não imagina; é útil nas situações mais diversas e inusuais. A humanidade faz isso há séculos: para espantar seus fantasmas, ela escreve.

Quando três dos meus filhos eram pequenos, houve uma época em que eu e minha mulher trabalhávamos muito e chegávamos tarde em casa, às vezes só depois das dez ou onze horas da noite. Tínhamos uma ajudante para cuidar das nossas crianças. Mas, por mais que ela zelasse pela "tropa", era quase impossível não haver conflito entre eles. Note que o conflito é inerente à convivência humana – conflito é uma divergência de posição, de postura, de ideias, de atitudes. Conflitos são inevitáveis. O que não pode acontecer é que o conflito se transforme em confronto, que vem a ser a tentativa de anular o outro. Uma guerra nunca é um conflito; é sempre um confronto. Três crianças juntas têm muitos conflitos e isso é normal. O que não pode é que esses conflitos degenerem em confronto.

Mas, então, nós trabalhávamos muito e, assim, não podíamos estar presentes durante o dia para acompanhar o que ocorria em casa. Se, logo depois do almoço, por exemplo, um deles xingava o outro ou rabiscava um caderno de propósito, aquele que tinha sido a vítima ficava numa situação difícil. O tempo transcorrido entre a hora do conflito e a hora do "julgamento" (quando os pais voltassem para casa) era tão grande que isso gerava uma pressão quase incontrolável. Numa época em que não havia celular, telefonar era complicado. A ajudante não tinha autoridade para resolver. O outro irmão não podia fazer nada.

Numa situação dessas, é preciso que o líder ou os responsáveis inventem mecanismos de dificultação do confronto. No nosso caso, criamos um "livro de reclamações". Ele foi inspirado em algo que aprendi com os bombeiros: todo animal acuado, seja cachorro louco, onça ou humano, precisa de uma rota de fuga. Se um animal se sente ameaçado e não tem para onde correr, ele só vê uma alternativa: atacar quem o está acuando.

O corpo de bombeiros, aliás, me ensinou outra coisa importante, que também tem a ver com conflitos e confrontos: nenhum incêndio começa grande. Começa com uma faísca, uma fagulha. A questão então é evitar que o pequeno saia do controle, torne-se grande e provoque um estrago considerável.

Nosso livro de reclamações ficava em um lugar de fácil acesso a todos. Era uma espécie de versão em papel de um "tribunal de pequenas causas". Sua principal função era acompanhar a rotina e ajudar a apagar incêndios.

Antes de sair de casa, dávamos a instrução: "Registrem no livro qualquer problema que vocês tiverem". Então, se o André, o mais velho, puxava a calça do Pedro, o mais novo, em vez de partir para briga, o Pedro ia até o livro e registrava sua reclamação. Como era um livro democrático, o André tinha direito à réplica. Então escrevia embaixo: "Eu não fiz isso, não foi assim que aconteceu, foi de outro jeito". O Pedro lia as palavras do irmão e colocava ali a sua tréplica: "Ele fez sim, quis me humilhar, foi assim mesmo que ele fez e coisa e tal".

Além da função prática, escrever tinha um importante componente psicológico, um oportuno fator de descompressão. Quando chegávamos em casa, uma das primeiras coisas que fazíamos era examinar as ocorrências do dia. Se necessário, agíamos como juízes, fazíamos acareações, contemporizávamos, aplicávamos sanções, relaxávamos a pena, passávamos reprimendas, orientávamos: "Olha, é errado você se divertir com a humilhação do outro. Isso é como caçar por esporte, é a tolice encarnada". Mas, muitas vezes, não era necessário fazer nada. Eles já tinham desistido da contenda porque o registro do fato ajuda a assimilá-lo e a lidar com ele.

É o que acontece, por exemplo, quando seu carro é furtado e você vai fazer um "boletim de ocorrência" ou um "termo circunstanciado" na delegacia ou pela internet. Quando descobre que parte do seu patrimônio foi subtraída, sua primeira sensação é de impotência. Mas, a partir do registro do fato, a partir do boletim de ocorrência, você acalma um pouco, começa a enxergar uma solução para o problema, uma perspectiva de reparo ao dano e também de justiça.

A DIFERENÇA ESTÁ NA ATITUDE

Hoje a maioria dos pais trabalha por mais tempo e, mais distante, e não tem como acompanhar direito o cotidiano dos filhos – e menos ainda o processo de aprendizagem, a evolução na escola. Para isso, recomendo duas providências. A primeira se resume a um simples olhar nas lições que foram feitas durante o dia. Olhar não é vigiar, que é uma agressão. É supervisionar. Há uma enorme diferença de postura, de atitude entre uma coisa e outra. Quem dá uma festa supervisiona os convidados, não os vigia.

A segunda providência exige humildade dos pais perante os filhos. Normalmente, quando uma criança chega da escola, a mãe, ou o pai, chama-o e pergunta, parecendo que está fazendo uma auditoria: "E aí, filhão, o que você aprendeu hoje?". Mas dá para fazer muito melhor mudando a pergunta: "E aí, filhão, o que você pode me ensinar hoje?". A resposta provavelmente será a mesma. A diferença está na atitude.

Isso vale para a família, para a comunidade, para as empresas. Auditoria é a caça ao culpado para aplicar punição, enquanto avaliação é análise de processos para alcançar melhorias.

A possibilidade de que o outro se pronuncie gera uma disponibilidade, cria uma oportunidade para o relato. Muitos pais, muitos educadores reclamam que os filhos não estão abertos ao diálogo. Isso só é verdade quando não se estabelece uma ponte com eles, ignorando um dos princípios básicos da política: Não se queimam pontes. Só com pontes se estabelecem conexões. Se não há diálogo com os jovens, é por que pais e educadores não encontraram a ponte para se conectar com eles. O maior prazer do ser humano, não importa a idade, é falar de si mesmo. Outro grande prazer é ensinar, pois ensinar é uma afirmação de valor, do seu próprio valor.

Pergunte a um jovem como funciona um programa do computador, como baixar uma música da internet, como mudar a aparência da tela do celular. Num primeiro momento, ele pode até reagir com uma risada, com aquela cara de "não vai me dizer que você não sabe fazer uma coisa tão fácil?!". Tudo bem, os pais precisam estar preparados para ouvir isso, até porque eles também fazem o mesmo com os filhos em relação a outros assuntos, como uma operação matemática ou a capital de um país. Mas, num segundo momento, se os pais demonstram interesse sincero pelo que o filho pode lhes ensinar, imediatamente cria-se uma ponte, estabelece-se uma conexão. Há aqui uma constatação óbvia, mas que muitas vezes é negligenciada: só sabe ensinar quem sabe aprender. Se eu peço a um jovem que me ensine alguma coisa, isso gera não só uma oportunidade para que ele se valorize como também cria uma predisposição para que ele me escute na hora que quero ensinar algo.

Se você quer mesmo saber algo de alguém, não o investigue nem o interrogue. Isso só fará com que a pessoa se sinta pressionada, acuada. Mas, se tem interesse legítimo em conhecer algo, se quer uma resposta sincera, pergunte: "O que você pensa disso?", pois essa é uma pergunta que pressupõe uma troca. Todo mundo aprende melhor quando há a possibilidade de ensinar alguém. E todo mundo ensina melhor quando há chance de também aprender. Em outras palavras, quando existe uma condição de respeito e de igualdade. E a igualdade, no caso, não é financeira, de classe social nem nada disso. É uma igualdade expressa numa clássica frase do grande educador Paulo Freire, meu mestre: "Ninguém educa ninguém, ninguém se educa sozinho. As pessoas se educam reciprocamente mediatizados pelo mundo". Isto é: eu não sou apenas líder, sou também liderado. Não sou apenas chefe, sou também chefiado. Não sou apenas professor, sou também "aprendente".

Pais e filhos aprendem a sê-los juntos e se ensinam reciprocamente – o pai ensina o filho ao mesmo tempo em que filho vai ensinando o pai a ser pai. A própria relação faz com que um mude o outro. Eis, inclusive, uma coisa que vale para todas as relações pessoais, o que torna ainda mais curiosa aquela frase em tom de reclamação que todo mundo ouve mais cedo ou mais tarde, aquele fatídico "quando eu te conheci, você não era assim". Mas é claro que eu não era! Pois quando eu te conheci, eu era "sem você". E, quando eu me tornei alguém "com você", passei a ser diferente, pois não sou impermeável à mudança. A convivência traz mudanças. A coerência contínua é sinal de loucura – uma das maiores características da loucura é nunca ter dúvidas, é pensar como faz e fazer como pensa.

Convicção absoluta é loucura plena. Quem não tem dúvida faz sempre do mesmo modo. Quem tem dúvida se inova, se reinventa.

Saudade e nostalgia, raízes e âncoras

Na vida, nós devemos ter raízes, e não âncoras. Raiz alimenta, âncora imobiliza. Quem tem âncoras vive apenas a nostalgia e não a saudade. Nostalgia é uma lembrança que dói, saudade é uma lembrança que alegra. Uma pessoa tem saudade quando tem raízes, pois o passado a alimenta (mais de 40 anos atrás, eu saí de Londrina, minha cidade natal, mas minha saudosa Londrina não saiu de mim). Pessoas que têm nostalgia estão quase sempre às voltas com um processo de lamentação.

Como curiosidade, lembro que a palavra nostalgia foi criada por um médico alemão no século 19. Naquela época, quem tinha um ferimento feio tinha de amputar o membro ferido. E, como hoje, muita gente que perdeu uma parte do corpo relata continuar sentindo desconforto, coceira ou dor no membro que não existe mais. E então o médico alemão pegou duas palavras gregas antigas e as uniu: *nostos*, que significa volta, e *algo*, que quer dizer dor. Assim, nostalgia ficou sendo a dor da volta, a dor daquilo que já se foi e continua doendo.

Todos nós temos raízes e também âncoras. O problema é quando as âncoras superam as raízes. O nostálgico amarga e sofre, o saudoso se alegra, pois ele deixa fruir aquilo que viveu. O nostálgico se aproxima daquilo que os antigos chamavam de melancolia e que hoje é chamado de depressão, esse perigo. Vez ou outra é preciso fazer um "balanço" de mim mesmo, de modo a ver se estou sendo puxado para a as raízes ou para as âncoras, para a saudade ou a nostalgia, para a alegria ou para a depressão.

Em qualquer ano que uma pessoa tenha atravessado, é impossível viver sem cicatrizes. Por isso, uma das coisas que mais me chateia é quando encontro alguém depois de um ano e essa pessoa me diz: "Cortella, você não mudou nada!". Como não mudei?! Só o fato de eu ter partilhado, compartilhado, vivenciado, convivido com pessoas, experimentado coisas, tudo isso faz com que eu mude. Muitas coisas que eu pensava no começo do ano não penso mais e vice-versa, pois sou capaz de mudanças, graças aos céus.

Sou um ser flexível, e ser flexível é muito diferente de ser volúvel. Flexível é aquele que muda quando considera adequado mudar. Volúvel é aquele que muda por qualquer coisa. A nostalgia é a tristeza da mudança contínua. A saudade é a experiência da mudança que conduz ao crescimento. A nostalgia é uma armadilha, registrada pelo estupendo poeta português Fernando Pessoa em um dos versos mais brilhantes da língua portuguesa, que está num poema escrito em 1930 e assinado por Álvaro de Campos, um de seus heterônimos: "Comprem chocolates à criança a quem sucedi por erro". À criança a quem sucedi por erro!! Ora, isso é nostalgia pura, dor pura. Não é uma raiz. É uma âncora, nostálgica e dolorosa, aquilo que Carlos Drummond de Andrade chamou de "a pedra no meio do caminho".

Percalços são inevitáveis, toda vida é composta por erros e acertos, por dores e delícias. A maioria das pessoas acredita piamente que aprendemos com os erros. Cautela com isso. Na minha opinião, aprendemos é com a correção dos erros; se aprendêssemos com os erros, o melhor método pedagógico seria errar bastante. Ora, brincando, podemos lembrar que todo cogumelo é comestível – só que alguns uma única vez... Eis um equívoco que não dá para corrigir depois.

Não é o erro; é a correção do erro que ensina.

EXPERIÊNCIA E IMPREVISTOS

No livro *Minha vida até agora*, uma autobiografia de Jane Fonda que achei que não ia gostar mas adorei, há uma frase marcante – na verdade um lema – de um dos ex-maridos da atriz, o magnata Ted Turner, criador da rede de notícias americana CNN: "Deseje o melhor e prepare-se para o pior". Esse é um daqueles princípios inteligentes que tornam as coisas mais fáceis: almeje o que há de bom, mas esteja preparado para imprevistos, pois eles acontecem em todos os lugares, mesmo naqueles ambientes que você supostamente domina. Sou professor, faço palestras, vivo da fala, presumivelmente estou preparado para contornar adversidades nessas situações. Mas às vezes, inevitavelmente, o imprevisto supera a experiência.

Certa vez, no Centro Cultural São Paulo, na capital paulista, dei uma palestra sobre Dignidade Humana para a Associação dos Amigos da Biblioteca Braile. Havia 400 cegos na plateia. Sim, cegos, pois eles não gostam de ser chamados de deficientes visuais – uma alcunha dada por aqueles que não perguntam aos interessados como desejam ser chamados. E às vezes é muito diferente o modo de como você gostaria de ser chamado de como as pessoas te chamam. Se você chama alguém do jeito que ela gosta, está criando uma ponte. Se chama como acha que deve chamar, pode estar criando uma barreira. Durante uma parte da minha palestra, eu me referi a eles como deficientes visuais. Até que, em dado momento, um deles, com muita educação, disse que eles não eram deficientes visuais, e sim cegos. Mudei na hora e passei a chamá-los do modo que lhes agradava. Derrubei a barreira e ergui a ponte.

Esse, no entanto, estava longe de ser o principal aprendizado do dia. Houve outros, um deles óbvio mas muito útil: o de que há muitas maneiras de enxergar a mesma coisa. O segundo: como palestrante diante de uma plateia de cegos, eu, sem perceber, estava sendo condescendente. Em vez de acolhê-los, tinha um pouco de piedade, um erro crucial, uma vez que os diminuía como pessoas. Eu tomava mais cuidado com a fala, pronunciava de modo mais enfático e pausado, parecia que eu temia que eles não pudessem me entender. Mas não eram eles que não sabiam ouvir. Eu é que não sabia falar com eles.

Em certo momento, perguntei se eles se lembravam de uma cena do filme *ET*, dirigido por Steven Spielberg, aquela em que o dedo do garoto encontra o dedo do ET, do mesmo modo que o dedo de Deus encontra o dedo de Adão na pintura que Michelangelo fez no teto da Capela Sistina. "Não, professor", me disse uma das pessoas da plateia, "nós não podemos nos lembrar, pois nunca vimos a cena". Pedi desculpas e o mesmo homem me disse: "Professor, não peça desculpas. Explique-nos a cena. Nós não enxergamos mas temos imaginação". Foi um jeito elegante de dizer "professor, não vemos mas não somos tontos". Mesmo assim, eu ainda cometia deslizes de linguagem. Dizia coisas como "vejam bem...". E eles riam. Não um riso nervoso ou encabulado, e sim um riso piedoso – com piedade de mim –, como se quisessem dizer "ah, pobre moço, ah, se ele soubesse o que eu sei".

Nas quase duas horas em que durou o evento, eu ainda aprenderia mais. Quando se dá, por exemplo, uma aula ou uma palestra, você olha para as pessoas e as pessoas olham para você, como ocorre em qualquer diálogo. Um péssimo sinal – de desinteresse, fastio, desatenção – é quando você fala e o interlocutor olha para outro lado. E ali, naquela palestra para cegos, eu olhava para eles enquanto metade da plateia olhava – na verdade, não olhava (eis outro vício de linguagem), e sim virava a cabeça – para o lado direito e a outra metade para o esquerdo. Aquilo me incomodava. No intervalo, perguntei a um dos responsáveis por que não mantinham a cabeça em minha direção. A resposta: "Ora, para eles, é absolutamente inútil apontar o rosto para você. Eles precisam ouvir. Por isso, estão voltados em direção às caixas de som".

Eis uma belíssima lição: ver com os ouvidos. Para quem enxerga bem, a lição inclui enxergar com os olhos, não apenas olhar. É o que se poderia chamar de audiência ativa, um conceito que vale para aula, palestra, concerto, partida de futebol, apresentação, reunião ou boa conversa. Uma aula produtiva não é aquela em que as pessoas falam o tempo todo. É aquela em que as pessoas participam mentalmente, raciocinam, refletem, se emocionam, eventualmente têm algo a dizer.

Da mesma forma, ir a um concerto de João Carlos Martins ou a um show do Paulinho da Viola não significa que você vai tocar com eles. Ir a um estádio para assistir a um São Paulo e Santos não quer dizer que você vai entrar em campo para jogar. Só quer dizer que alguém vai lá para deixar fruir as emoções. Isso é que eu chamo de audiência ativa.

No caso da palestra para a associação de cegos, havia também uma via de mão dupla. Eles imaginavam enquanto eu falava. E eu imaginava o que eles estariam imaginando ao ouvir minhas palavras. Aquilo se configurava um desafio intelectual e, portanto, um prazer muito grande. Mas isso só ocorreu porque mudei minha postura.

O ACOLHIMENTO DA DISCORDÂNCIA

Para lidar com a mudança, você precisa, sobretudo, prestar atenção nas pessoas. Paulo Freire, o brasileiro que mais acumulou títulos de doutor *honoris causa* na história do nosso país, também era um mestre nisso. Quando alguém vinha falar com ele, um homem mundialmente famoso, Paulo não só parava para escutar como dava toda a atenção do mundo. Não raro, colocava a mão no ombro do interlocutor para criar uma condição de igualdade, um vínculo, uma conexão física para materializar o que Aristóteles chamou de amizade: dois corpos numa única alma.

Quando conversava, Paulo Freire não mantinha com seu interlocutor uma fala diplomática ou cordial. Ele cultivava uma disposição legítima de aprender com o outro. Era um homem da ética, e não da pequena ética, da mera etiqueta (sim, etiqueta é a pequena ética, assim como camisetas são pequenas camisas).

Prestar atenção no outro de maneira sincera, eis um aprendizado que devemos procurar desenvolver nas nossas relações. Como estamos acomodados com o que somos, o outro é que nos ensina e nos liberta das nossas amarras e âncoras. Mas, para avançarmos, é preciso ser capaz de acolher aquele que não concorda comigo.

A concordância faz com que permaneçamos estacionados. A discordância faz com que cresçamos. A palavra concordância vem de *cor*, coração, e significa unir os corações. Discordar, por sua vez, é promover a separação dos corações, algo que possibilita o desenvolvimento pessoal. Assim, para estimular o crescimento do outro e de si mesmo, Paulo Freire primeiro acolhia seu interlocutor, colocava a mão em seu ombro, estabelecia uma ligação. Depois, quando fosse o caso, discordava, sempre aberto a acolher em si a discordância do outro e, portanto, a aprender.

Desse modo, ao prestar atenção naquilo que não era o óbvio nele mesmo, ele conseguia avançar. Seguindo esse princípio, nos seus 76 anos de vida, Paulo Freire nunca parou de crescer.

Acolher a discordância foi justamente uma das mais importantes lições que recebi de meu pai, grande torcedor do time do São Paulo. Pais geralmente gostam que os filhos torçam para o mesmo time. Mas eu me bandeei para o Santos, um time que não é óbvio nem em seu emblema (conhecido como peixe, seu símbolo é uma baleia – baleias são mamíferos, não peixes). Curiosamente, nenhum dos meus filhos é santista. Todos torcem para o São Paulo. Da mesma maneira que jamais interferi na preferência futebolística dos meus filhos, meu pai não só jamais questionou a minha escolha como a aprovava e a apoiava. Para demonstrar com clareza que acolhia a nossa discordância, ele me levava ao estádio quando o São Paulo jogava contra o Santos. E era capaz de aplaudir o Santos! Respeitar o time de futebol alheio é uma maneira soberba de ensinar a respeitar e a acolher as ideias, as posições, as perspectivas do outro.

E olha que, para o brasileiro, futebol é mais sagrado do que religião – você pode até conhecer um ex-católico, mas jamais vai encontrar um ex-corinthiano, ex-gremista ou ex-flamenguista. Futebol é paixão e a paixão é a suspensão temporária do juízo e da razão, é uma expressão da irracionalidade. Meu pai acatava a minha escolha pelo Santos por que sabia que o futebol, assim como a religião e a preferência musical, pertence ao território da paixão, do irracional, do gosto que não se discute – apesar de a irracionalidade, não raro, descambar para o fanatismo, que é uma suspensão violenta do juízo e da razão. Meu pai dizia: "Torça, grite, lamente e comemore, mas não transforme o seu time no único time possível. Se você achar justo brigar pelo seu time até o fim, entenda que o torcedor de outro time também pode fazer o mesmo". Assim ele me ensinava a cultivar a tolerância mesmo num ambiente de rivalidade.

Os estádios estão cada vez mais violentos, mas isso não quer dizer que a tolerância não seja possível em grandes arenas. Veja o exemplo do Boi Bumbá no Festival Folclórico de Parintins, no Amazonas. Durante três horas, desfilam os Caprichosos, de azul, e depois o Garantido, de vermelho. Na hora do desfile de um, a torcida do outro não pode vaiar, gritar, dar um pio. Se algum torcedor gritar, seu time perde pontos. A regra ali é deixar o espetáculo acontecer. Por mais que haja rivalidade no ar, não pode haver conflito. O respeito pelo outro é tão grande que os juízes não usam caneta com tinta azul ou vermelha, as cores dos dois times. Para dar suas notas, usam tinta verde.

A paixão pode ser irracional, mas a manifestação dela não.

Loucos por futebol! O perigo está no "loucos", pois há o perigo de a paixão se tornar fanatismo, do conflito se transformar em confronto. A divergência é admissível, até desejável, mas ela nunca pode conduzir à anulação do outro, daquele que pensa diferente de você. Por que muita gente perdeu o gosto de ir a estádios de futebol? Porque, ali, o conflito cedeu lugar ao confronto. A torcida organizada passou a ser uma espécie de exército empenhado em anular os adversários.

Aqui é preciso lembrar que um adversário fraco te enfraquece, um concorrente burro te emburrece. E que um adversário forte fortalece. Lembra-se da final da Copa das Confederações, em junho de 2009, quando o Brasil terminou o primeiro tempo perdendo de dois a zero e terminou o jogo ganhando por três a dois dos Estados Unidos? O Brasil reagiu porque encontrou um adversário poderoso que o estimulou, um oponente que ele desprezava a princípio, mas que aprendeu a respeitar.

Se você não respeita um adversário poderoso, corre o risco de cometer a mesma tolice do general Sedgwick, algo que registrei em meu livro *Qual é a tua Obra?* (Vozes). Sedgwick lutou na guerra civil norte-americana. No dia 9 de maio de 1864, durante a batalha de Spotsylvania, o general, ao ver as tropas inimigas parando lá longe, não se preocupou sequer em se proteger. Ainda debochou, proferindo uma das frases mais fatídicas de todos os tempos: "Imagina se vou perder meu tempo. Dessa distância, eles não acertariam nem em um elef...". E caiu morto com sua frase incompleta, fulminado por um tiro certeiro na cabeça disparado ao longe por um inimigo poderoso que foi negligenciado.

A anulação do outro é o ápice do confronto e o confronto deve ser evitado a todo custo. Isso vale para o terreno das ideias, da convivência, para o casamento. Aliás, para o campo dos relacionamentos, o grande pensador Rubem Alves criou uma imagem excelente. Para ele, os relacionamentos devem ser como um jogo de frescobol, e não como uma partida de tênis. Eis aí uma boa lição. No tênis, você usa toda a sua competência para que o outro receba a bola do pior modo possível. Você procura sacar de um jeito que ele não veja nem a cor da bola. Toda vez que o oponente erra, você se congratula. No frescobol, por sua vez, você capricha para que o outro receba a bola do melhor modo que consegue. Quando manda uma bola atravessada, você pede desculpas e procura não repetir mais isso, pois quer sempre repassar a bola ao outro com perfeição. Esse é o sonho, a meta a ser alcançava, embora muitas vezes a vida se pareça mesmo com uma partida de tênis.

O esporte traz muitos aprendizados para não sucumbir à paixão, àquilo que suspende o juízo e a razão.

O RAIO DA PAIXÃO E A CONSTRUÇÃO DO AMOR

Nós vivemos numa civilização e, em sociedade, a irracionalidade é a princípio inaceitável. Mas a paixão, que é irracional, é aceita – e é aceita porque somos seres apaixonados.

Não há invenção sem dor e paixão, assim como não há religião sem temor ou terror, ou a possibilidade de conceber um ser superior sem você ter de se reconhecer como inferior. Da mesma forma, não há necessidade de divindade se alguém se considera completamente potente. Mas, se você supõe que uma entidade pode machucar ou "puxar seu tapete", é preciso encontrar modos de agradá-la. A fonte da religião é o terror, mas seu significado vai muito além.

De maneira geral, a Ciência, a Arte, a Filosofia e a Religião são quatro caminhos que têm por trás uma mesma questão: "Por que algo – nós, o mundo, o universo – existe?". Ou: "Por que existimos em vez de não existirmos?". Reconheça que é um tema que desperta paixões, assim como o futebol e a política...

Observo aqui que a palavra latina "paixão" vem do grego *pathos*, que é a raiz da palavra patologia, que carrega consigo doença e afecções, ou seja, aquilo que te afeta (quando o mal está dentro, é uma infecção). Por isso, a Paixão de Cristo. Não é "paixão" porque Cristo estava apaixonado por alguém, e sim porque sofreu. Paixão é transtorno, é ebulição. E a metáfora do frescobol nos ajuda a lembrar que uma das coisas que precisamos aprender é a transformar paixão em amor.

A paixão agride, suspende todas as referências, suspende o tempo e o espaço. A paixão é a suprema negação do óbvio. Um casal de apaixonados num banco de parque está sempre sozinho – ao redor, não existem crianças, bolas, cães, parque, trânsito lá fora, cidade em volta. A paixão é uma explosão de energia que exige um desgaste imenso para sustentar sua produção de energia. Se ela não for transformada em amor, ela sucumbe em si mesma, implode, se transforma em um buraco negro – buracos negros se originam em estrelas superpoderosas que, num dado momento, deixam de produzir energia e, por isso, passam a consumir apenas a energia que já têm. E aí elas têm, digamos, um momento de paixão fulgurante, que é quando explodem. No momento da explosão, são chamadas de supernovas. Mas, depois disso, elas desabam, arrastando tudo ao redor, inclusive a gravidade, e se transformam num buraco negro.

O psicanalista alemão Erich Fromm afirmava que o amor imaturo diz que te ama porque precisa de você. E que o amor maduro diz que precisa de você porque te ama. A paixão é movida por necessidade. Por esse ponto de vista, nós não conseguimos existir sem paixão – mas ela não pode ser contínua, pois não pode fornecer, para usar uma palavra da moda, sua própria sustentabilidade.

A paixão tem de ser o ponto de partida, mas não pode ser o ponto de chegada. Ela precisa ser transformada em algo que seja menos explosivo e mais propício à constância, como o amor. Gosto muito de uma frase de Roland Barthes, escritor e filósofo francês, que consta de um livro chamado *Fragmentos de um discurso amoroso*: "Você não ama alguém, e sim ama o amor".

Uma pessoa que te ama é aquela que guarda o teu amor consigo. Quando ela deixa de te amar, ela também deixa de guardar o teu amor dentro dela.

Assim, o amor é uma sensação de pertencimento recíproco que almeja a plenitude. No fundo, o amor é uma identidade, pois eu me encontro no outro ou na outra. O amor tem turbulências, mas ele não é confronte, e sim conflitante. O amor, ao contrário da paixão, oferece paz – sendo que paz não é ausência de conflitos, e sim a capacidade de administrar conflitos para que não haja ruptura. Assim, se você consegue guardar o meu amor, se cuida dele, eu fico. Mas, se não cuida nem o guarda, eu parto. Há também os casos em que o amor não é cuidado nem guardado e a pessoa resolver ficar mesmo assim. Nesses casos, isso é conveniência, e não convivência.

Ao contrário do amor, a paixão não tem a ver com o outro, e sim com você mesmo, com a sua obsessão por uma pessoa ou situação. Há pessoas que são viciadas em paixão, na adrenalina da paixão, para alimentar uma necessidade que só pertence a si mesmo, e não ao outro.

Ninguém é isento de paixão, mas é preciso ter em mente que a paixão é eventual e rápida. A paixão, insisto, consome uma energia impossível de sustentar. Se o amor e a vida são uma maratona, a paixão são os cem metros rasos – e todo mundo que já viu uma corrida dessas sabe que o atleta a termina mal conseguindo se sustentar em pé, tamanho o consumo de energia. Ninguém consegue se manter em disparada, há um limite físico para isso. A paixão é como um raio; ela brilha, ilumina, tem uma energia imensa – uma energia que precisa ser contida ou canalizada para não fulminar aquilo que está na sua frente, uma energia que precisa ser transformada para que não origine uma perturbação ou um transtorno.

Ao contrário da paixão, o amor compreende. Compreensão é diferente de dominação ou de aceitação, até porque alguém que não seja um preconceituoso contumaz só pode aceitar ou rejeitar depois de ter compreendido. Compreender é ser capaz de entender as razões, mesmo sabendo que razões são sempre provisórias. Quando você tem consciência da fugacidade das razões, mata qualquer indício de fanatismo e se torna uma pessoa mais acolhedora, apta a receber o outro como a um igual. Caso contrário, está à mercê da paixão, vulcânica e devastadora.

Só quando a paixão arrefece, quando fica sob controle, que pode se transformar em amor e, assim, em paz de espírito. Observo mais uma vez que paz não é ausência de conflito ou a inexistência de desacertos, e sim a capacidade de administrar as turbulências sem se perder.

São inevitáveis as pedras no meio do caminho (quando Drummond escreveu sua poesia, ele estava brincando com Olavo Bilac, que tem um poema chamado *No meio do caminho da nossa vida*, que, por sua vez, é o primeiro verso da *Divina Comédia*, de Dante Alighieri).

Mas pedras são apenas pedras, umas grandes, outras menores. São obstáculos a serem contornados. O que não pode acontecer é que as pedras se tornem barreiras. Pedras são fronteiras: elas demarcam um território de risco, mas não indicam impossibilidade.

Impossibilidade é haver paz enquanto há paixão.

Viver em paz

As pessoas falam em amor à primeira vista. Não creio que isso exista – a mim, parece ilógico, uma conexão impossível, uma vez que o amor é uma construção, e não uma fagulha, um instante. Acredito em paixão à primeira vista, pois é a paixão que solta faíscas, é a paixão que dá o disparo, a paixão que desassossega e faz perder a razão.

O amor é um produto da convivência, da admiração, do pensar sobre o outro, do sentir a ausência de maneira calma, e não em desespero. Por isso, uma vida em paz é uma vida com amor, uma vida que surge depois que a energia explosiva da paixão se converte em amor perenizável. Gosto mesmo da ideia de amar o amor – a capacidade de guardar aquilo que me faz bem. É claro que a paixão também faz bem, mas só por um certo tempo. Ela não pode ser persistente, caso contrário ela faz adoecer, ela descontrola, suspende a noção de tempo e espaço.

Assim, paz de espírito é aquilo que faz com que eu consiga orquestrar as minhas paixões de maneira que elas se convertam em energia positiva e controlável.

Por esse ponto de vista, para ter paz de espírito, viver em paz é saber que está fazendo o que precisa fazer.

Isso exige racionalidade.

Obedecer ao coração não é ser dominado pelo coração, não é excluir a razão. Obedecer ao coração é agir em equilíbrio, numa parceira entre o coração e a razão. Para mim, o equilíbrio ideal é aquele da bicicleta, o equilíbrio que só existe quando se está em movimento.

Algumas religiões consideram o equilíbrio e o alcance da paz como estados de ausência de qualquer emoção. Para mim, equilíbrio não é um ponto estático entre dois opostos, não é estar no meio. É ir aos extremos e não se perder, seja na ciência, na religião, na política, nos experimentos, no erótico. É ser capaz de vivenciar os múltiplos territórios da vida sem neles se ancorar.

A pessoa que vai para a "balada" e fica com um, depois fica com outro e no próximo final de semana fica com mais outro, bem, essa pessoa não é alguém que tem muitas possibilidades, e sim alguém com uma lacuna de sentimentos. Excesso de oferta muitas vezes é incapacidade de escolha. Quem transa com quem quer quando quer não é um libertário, e sim uma pessoa com um sentimento caótico em relação a suas escolhas. Pode-se argumentar que a pessoa escolheu ficar com muitos. Tudo bem, mas tenha em mente que, se tudo é prioridade, então não existe prioridade nenhuma. É como mural de faculdade: lotado ou vazio dá no mesmo, já que ninguém lê.

Escolher é adotar certas posturas e deixar outras de lado. Em sânscrito, havia uma ótima palavra para isso: *cria*, que quer dizer purificar. Ela deu origem à palavra *crisis*, em grego, de onde vem a palavra crítica e também a palavra critério. Criticar é separar o que uma pessoa deseja do que ela não deseja. Assim, ter uma vida crítica é ter uma vida consciente. Aquele que leva uma vida não crítica, ou sem critérios, não tem rumo, é um alienado.

Por isso, o equilíbrio não está em vivenciar tudo e qualquer coisa, mas em saber fazer escolhas sabendo que nem toda escolha é válida. Se toda escolha tiver validade, estamos no campo do relativismo, que é ausência de critério.

Se tudo tem validade, até a apreciação do mundo fica afetada. Gostar de qualquer comida ou de qualquer pessoa denota que a noção de gosto está prejudicada. Gostar, ter afeto, desejar sem critério só demonstra ausência de capacidade de entendimento.

Assim como a carência define os nossos rumos, é a ausência que molda nossos gostos. Uma pessoa só sente felicidade ou paz porque a felicidade e a paz não são contínuas. Nós só valorizamos algo quando há a possibilidade desse algo se ausentar. O exílio dá saudade. A felicidade contínua é uma impossibilidade, uma vez que as pessoas vivem em meio a outras pessoas e a atribulações. Mas, se a felicidade pudesse ser um estado contínuo, nós não a perceberíamos, assim como não percebemos nossa respiração, exceto na carência, quando o ar falta.

O erótico, claro, é um princípio vital. Freud dizia que as pessoas são regidas por duas pulsões, dois impulsos, aos quais ninguém consegue resistir: o erótico (vital) e o tanático (destrutivo). Freud tem uma grande descrença na capacidade humana. Para ele, biologia é quase destino.

Para mim, não é bem assim. Concordo, por exemplo, que o impulso tanático deve ser controlado, pois, se não fosse, não haveria civilização. Mas discordo quando ele diz que o erótico é o impulso da paixão e, portanto, também destrutivo e insustentável. O erótico, na minha concepção, é o impulso do amor, da construção, da vibração – pois a vida vibra. Vibrar significa ressoar, fazer sentir a presença. E você vibra perante a pessoa que você ama, o prato que aprecia, a música que frui, numa vibração que inevitavelmente estabelece uma conexão. Os gregos chamavam essa conexão de simpatia, ou aquilo que cria uma ligação, uma união entre nós. Já em latim, isso seria conhecido como amizade.

Tudo isso passa por uma lógica que aprendi com Janete Leão Ferraz, com quem sou casado. Quando começamos a namorar, mais de 25 anos atrás, ela colocou uma música do Djavan para deixar claro como deveria ser um relacionamento no entender dela: ”Se você quer zero a zero, eu quero um a um”.

São dois empates, mas dois empates diferentes. O empate do zero a zero é aquele do caminho do meio, aqueles que os gregos antigos chamavam de caminho da virtude. Já o empate do um a um exige movimento.

Exige esforço e apego, e não acomodação e desapego.

A ECOLOGIA, O APEGO E O EROTISMO

Algumas concepções orientais milenares pregam o desapego ao mundo. Mas, para proteger algo ou alguém, é preciso ter apego. Como proteger e cuidar sem apego? É essa uma das razões por que as pessoas em geral e a maioria dos jovens em particular ainda não se envolvem com temas fundamentais como a ecologia, não se preocupam em zelar pela natureza para garantir um mundo sustentável. Para os jovens, o erotismo permeia tudo e esse tema, a ecologia, não foi erotizado. As campanhas publicitárias conseguem erotizar um jeans de tal forma que ele pode ser vendido pelo preço de uma tv de plasma de 42 polegadas. Conseguem erotizar um par de tênis e vendê-lo pelo preço de dois pneus de carro. Conseguem, em resumo, transformar objeto em desejo. As pessoas precisam do que desejam.

O tema da sustentabilidade, no entanto, jamais foi erotizado.

A maioria das campanhas se apoia na tese de que devemos nos desapegar para proteger o planeta. Mas, insisto, o que nos faz zelar, proteger, cuidar é o apego, e não o desapego. É por me apegar àquilo que gosto, que usufruo, que desfruto, que quero cuidar da minha saúde. É por me apegar a alguém que quero cuidar dessa relação, para que ela não se esgarce. É por me apegar, por exemplo, à beleza da natureza que quero protegê-la. A falta de erotização das campanhas em prol da natureza resulta que, para um jovem, a única coisa que se entende é que ele precisa abrir mão de alguma coisa para manter o planeta. E abrir mão inevitavelmente significa gerar desinteresse.

Assim, é preciso erotizar a responsabilidade socioambiental, transformá-la em desejo de cuidar da vida em suas múltiplas faces, para que se possa ter apego ao rio, à sociedade humana, de forma que o rio não fique poluído e a sociedade não se frature numa comunidade de vítimas.

Há um grande pensador chamado Enrique Dussel, que vive hoje no México. Ele escreveu um livro intitulado *Ética da Libertação*, no qual ele recusa a palavra "excluídos" para se referir a quem vive à margem da sociedade. Ele usa a palavra "vítimas". O "excluído", de certa forma, reduz o problema, banaliza-o, pois desde sempre há o excluído da rodinha, o excluído do time, da festa, da empresa. Já a vítima é diferente. Vítimas têm peso, gravidade. Sobre isso, inclusive, é útil lembrar do professor José de Souza Martins, grande sociólogo da

Universidade de São Paulo, que, tratando do tema da exclusão, também fala de inclusão precária, referindo-se àqueles que estão mas não estão de fato.

Dussel também diz coisas sensacionais sobre ética. Para nós, a ética nasce na Grécia clássica. Mas Dussel sustenta que ela nasce na África, nas comunidades banto, e se consolida no Egito antigo com os faraós. O mais curioso nisso é que o nascimento da Ética, entendida como a arte de conviver com o outro, está relacionado à escravatura. A Ética, inclusive, nasce por causa da escravatura. Antes dela, nas batalhas da humanidade, matavam-se os inimigos. E matavam porque não valorizavam a vida deles. Mas, no momento em que deixo de liquidar o inimigo e o aprisiono para que trabalhe para mim, ele passa a fazer sentido para mim, passa a ser útil, passa a ser valorizado. Cria-se com isso uma relação entre senhor e escravo que necessariamente obriga a ter regras de convivência, o que, por sua vez, conduz ao apego.

Por isso, no começo do século 19, Hegel, inestimável filósofo alemão, dizia que existe uma dialética entre senhor e escravo. Isto é: há uma identidade entre o senhor e o escravo. Isso fica mais evidente ainda no que se convencionou chamar de Síndrome de Estocolmo, na qual o sequestrado desenvolve uma relação de apego com seu sequestrador, e vice-versa. Apegar-se é olhar o outro como a um igual, que deve ser preservado, e não como a um estranho, que pode ser descartado.

E aqui volta-se à ironia histórica: o escravo não podia ser descartado, pois ele era um bem. A escravatura, por incrível que pareça e por mais horrorosa que seja, vai introduzir na história humana o conceito de que é preciso proteger a vida do outro porque ele é um bem para mim – e patrimônios precisam ser cuidados.

Voltando à ecologia, é aqui que está o erro do tratamento do ambiente em relação aos jovens. Eles não enxergam o mundo como um bem e, portanto, são indiferentes a ele.

Para piorar, em ecologia trabalha-se com a noção de que "vai acontecer", em vez de "está acontecendo". Com esse discurso, é praticamente impossível fazer com que alguém com 20 anos de idade se preocupe com algo que pode acontecer daqui a 50 anos.

Não dizem que a diferença entre um jovem e um idoso é que o jovem tem tempo mas não tem projetos e um idoso tem projetos mas não tem tempo? Sem projeto, não se defende o futuro. Mas, se as campanhas conseguirem erotizar a sustentabilidade, a visão dos jovens terá outra dimensão, que possibilitará que eles exijam a sustentabilidade já e agora, como um objeto do desejo.

Isso vai gerar apego – e apego impede que se fira aquilo que se ama, pois ferir o que se ama é ferir a si mesmo. Apego, simpatia, amizade, essas coisas só podem existir com o que está conectado à minha própria vida. O meu equilíbrio, por sua vez, só pode existir se tenho apego também a mim mesmo.

A GRAÇA DA VIDA

Uma das questões mais intrigantes da humanidade é por que somos capazes de tirar a nossa própria vida.

O sociólogo francês Émile Durkheim, no século 19, estudou a fundo o assunto e escreveu um livro chamado *O suicídio*. Se o equilíbrio está no apego a si, o suicídio está no desapego à vida, no nada mais me importa. Chamo atenção para o verbo "importar", que significa portar para dentro, trazer para dentro. Quando eu vivo apenas a "exportação" – quando só coloco para fora e nada recebo para dentro – crio a possibilidade de me desapegar.

Essa questão também foi tratada pelo escritor italiano Umberto Eco no livro *O nome da rosa*, que pode ser lido como um romance histórico, como uma história policial mas também como uma obra filosófica. Há ali um embate entre duas correntes teológicas do século 13, os franciscanos e os dominicanos, que divergem sobre como a Igreja deve encarar a posse e o uso de bens materiais. Os franciscanos diziam que Jesus apenas usava seu manto, portanto, era livre dele. Os dominicanos sustentavam que ele o possuía, era seu dono e, assim, era atrelado a ele. Por trás disso, estava uma questão maior: a Igreja deveria ter bens ou apenas usá-los? Como se sabe, prevaleceu a primeira opção e a Igreja daquela época se tornou riquíssima. Já eu concordo com São Francisco de Assis, patrono dos franciscanos: uma pessoa deve ter o uso, ou até possuir, mas jamais ser possuída por aquilo que ela possui. Ou, como diria Millôr Fernandes, o importante é ter sem que o ter te tenha.

E assim, retornando ao nosso tema, ser possuído por aquilo que possui é paixão, não é apego nem amor.

A falta de razão na paixão é tamanha e tão assumida que muitos dizem "estou louco por você" ou, como disse antes, "sou louco por futebol". Em oposição a isso, está o apego. É com ele que você se agarra à vida, à natureza, ao mundo mas sem se sentir proprietário deles, e sim um usuário, alguém que compartilha e, por isso, quer que o outro fique bem.

Para quem mora em São Paulo, por exemplo, não é fácil se sentir conectado à natureza. Por mais que alguém tenha consciência ecológica e saiba que precisa proteger o solo e os rios, não se sente apegado ao rio Tietê ou ao Pinheiros. Esses rios são de todos – mas, quando algo é de todos, também é de ninguém. E, se é de ninguém, também não é meu. Se não é meu, a relação com ele será de indiferença.

Por que os jardins e quintais são cuidados? Porque pertencem a alguém e esse alguém cuida deles, da mesma forma que algumas praças são adotadas por empresas ou associações de bairro. Se não, seriam terrenos baldios, de todos e de ninguém.

Como o apego está ligado à Ética – ao campo da conduta e do comportamento –, também está ligado à Estética, ao bom e ao belo. Nós também nos apegamos ao que consideramos belo. Todos dizem que aquela "é uma bela macarronada", "uma bela jogada", "uma bela pessoa". Nenhum desses comentários tem a ver necessariamente com simetria ou com beleza.

Citando mais uma vez o *Guernica* de Picasso: você o olha e diz que é um belo quadro, mesmo que ele seja a expressão do desespero e do horror, ainda que tudo lá seja disforme. Onde está a beleza no disforme? Está na emoção que ele provoca e, portanto, no apego que ele oferece.

De maneira geral, a expressão da beleza está conectada àquilo que lhe agrada, que lhe dá uma graça – por isso se fala em agradecimento. Em latim, *gratia* (que originou graça em português) era uma versão do grego *caris*, de onde vêm palavras como carisma. E *caris*, no grego antigo, é a boa graça, a proteção, a bênção. Trata-se de uma bonita conexão, pois, quando você vê o bom e o belo, quando se apega a algo ou alguém, se sente cheio de graça. Não é à toa que cristãos usam a expressão "Ave, Maria, cheia de graça". O que é a graça aqui? Aquilo que me protege, que cuida de mim, que me abençoa, me deixa feliz.

O que tem graça é engraçado, ao passo que o que me faz sofrer é a ausência do bom e do belo, é o desgraçado, o feio, o mal. O desgraçado derruba e o engraçado anima e me dá graça.

Poucas coisas na vida são melhores do que a gratuidade do gesto, aquilo que vem de graça. É o abraço espontâneo, o beijo roubado, a mão no ombro, é o gesto certo num momento em que não seria necessário fazê-lo. É a graça que desperta o sentimento genuíno de agradecimento por sua gratuidade. É a graça da gratidão.

Quem é muito jovem talvez não tenha ouvido a cantora argentina Violeta Parra cantar a música *Gracias a la vida*. Pois, para mim, graças à vida é a erotização da vida, é a vida cheia de graça. Um exemplo disso está naquilo que os que moramos na cidade de São Paulo nem sempre entendemos: muitos cariocas, no final de tarde, param na beira da praia para aplaudir o pôr-do-sol. Alguns veem nisso um gesto sem sentido. Mas é um agradecimento, assim como muitas pessoas elevam as mãos aos céus quando se sentem muito bem, numa reverência que pode ser entendida como uma espécie espontânea de *gracias a la vida*.

A vida em paz é a vida cheia de graça, enquanto a vida em tormento é a vida desgraçada.

O amor conduz à graça. A paixão é o ponto de partida, o impulso para o amor. A paixão, porém, é desgraçada. Como não tem controle sobre sua força e seu movimento, ela produz beleza como um vulcão, mas na sequencia vem a destruição.

É o filme *Atração fatal*, que ficou famoso com a cena do coelhinho na panela...

O Deus do Antigo Testamento é um deus apaixonado, um deus furioso que tem tamanha paixão por sua criação que é capaz de afogá-la com um dilúvio. Por outro lado, também tem apego, pois deixa um grupo sobrando.

Sobre as decisões divinas, há uma interessante parábola islâmica. Um mestre sufi está meditando quando de repente chega um grupo de crianças com um saco de balas. São 14 balas para 12 crianças e elas pedem que o mestre as ajude a reparti-las da maneira mais justa possível. O mestre diz que vai ajudá-las, mas antes pergunta se as crianças querem que ele as divida como Deus o faria ou como o Humano faria. Em coro, todos dizem que como Deus.

E o mestre então começa: "cinco para você, duas para você, nenhuma para esse, uma para aquele...".

A justiça divina, se entendida como destino, é um acaso, ao passo que a justiça humana é uma construção, para criar igualdade nas diferenças...

A SOCIEDADE DA EXPOSIÇÃO

Por falar em diferenças e igualdades, o fato de vivermos em metrópoles – em cidades altamente povoadas, com elevada densidade demográfica, onde a convivência se dá em aglomerados imensos – cria automaticamente uma situação de anonimato para seus habitantes.

Pela simples expressão numérica, por ser um entre milhões, todo cidadão se torna anônimo, sem identidade, invisível. O filósofo irlandês George Berkeley disse um dia que "ser é ser percebido". Ou seja, se não é percebido, não existe. Berkeley não estava falando apenas de pessoas, mas de tudo o que existe. Uma estrela, um planeta, uma galáxia, se nós não os conhecemos, não os percebemos; logo, eles não existem para nós – e só passam a ter existência quando são notados. Isso vale para uma sociedade "galáctica" como a nossa – e não é galáctica pelo número de estrelas que contém, mas pelo número de pessoas que querem ser estrelas para poder brilhar.

Não é casual que vivamos afirmando que "gente foi feita para brilhar". O brilho pessoal é uma concepção da modernidade, pois, na Ásia antiga ou mesmo no mundo medieval europeu, o que prevalecia era o culto ao anonimato, ao silêncio, a prática do silêncio e da meditação. Isso ficou para trás.

Hoje a modernidade transformou o ruído numa forma de expressão – a tal ponto que nossa expressão de vida tem de ser ruidosa. Para serem notadas, para ganharem existência, as pessoas vivem em função de apelos como "eis-me aqui", "olhem para mim". É aquilo que Guimarães Rosa um dia chamou de "viver em voz alta". Isso contraria os modismos orientais que vira e mexe são abraçados por um segmento da classe média que tenta negar o ruído com o silêncio e a meditação, práticas hinduístas, chinesas, asiáticas de maneira geral.

"Ouvir é ouro e falar é prata", eis um ditado que não faz mais sentido para a sociedade moderna. Hoje é o contrário. Eu preciso falar, e preciso fazê-lo em voz alta para que me notem. Viver no formigueiro é viver num anonimato que me conduz ao esquecimento. Daí vem a inconformidade em relação ao silêncio, a necessidade de exposição para passar a existir e brilhar.

Esse brilho, no entanto, é menos o brilho duradouro de uma estrela e mais o brilho passageiro de um cometa – num trocadilho, o brilho célere da celebridade, o brilho instantâneo.

No século 17, Blaise Pascal disse, ao olhar para o céu, uma frase que gosto demais: "O silêncio desses espaços infinitos me apavora". Talvez o maior pavor moderno hoje seja o silêncio – não apenas o silêncio como a ausência de ruído, mas o silenciar sobre mim. Por isso, a obsessão por comunicação, uma comunicação regida pela celeridade, pela celebridade, uma comunicação do "cá estou", do "fale comigo" seja como e onde for – no celular, no SMS, Orkut, no Facebook, no Twitter.

Se não retornam, eu entro em depressão. Tendo em vista o tamanho da rede de comunicação na internet, muitas vezes criar um blog equivale a jogar uma garrafa no oceano, à esperança do náufrago de que algum dia alguém encontre a garrafa.

É o grito dos desesperados.

Na oração cristã *Salve, Rainha*, diz-se que "a vós bradamos os degradados, filhos de Eva; a vós suspiramos, gemendo e chorando neste vale de lágrimas". O vale é lugar baixo em que vivemos, embora desejemos o alto da montanha, onde o sol bate. O vale é frio e sombrio na maior parte do tempo.

Não é à toa a noção de que o mundo inferior – *inferos*, em latim, de onde vem a palavra inferno – é o reino das sombras. Nós não queremos o inferior, e sim o superior.

Uma das características da modernidade foi trazer à tona o culto a homens que conseguiram chegar aonde ninguém jamais esteve. Reverenciamos quem atingiu o pico do Everest, do Aconcágua, quem venceu o Himalaia ou chegou ao Polo Norte, ao Polo Sul, à cabeceira do Nilo, mesmo que à custa da morte. Mas tudo isso já foi conquistado no passado. Então era preciso ir além. Assim, no século 20, e mais ainda no 21, o desafio foi e ainda é chegar aonde ninguém mais chegou enquanto riqueza, admiração, exposição.

Em latim, há um sufixo – o *peni* – que apavora o homem moderno. *Peni* quer dizer quase. Penúltimo é o quase último, península é a quase ilha e, a que eu mais gosto, penumbra é a quase sombra.

O homem moderno se desespera em ser quase, em quase ser – quase conhecido, quase famoso, quase feliz. O "quase" leva ao desespero. O homem quer escapar da penumbra da caverna e chegar ao sol, à exposição da luz. Hoje, no entanto, toda a lógica disso passa pelo "olhe, estou aqui, preste atenção em mim".

A velha frase de Greta Garbo *I wanna to be alone*, o seu desejo de não ser mais vista, ao contrário do que imagina, inaugura a era da exposição moderna. Isso porque uma mulher com a fama de Greta Garbo – uma mulher que construiu sua fama com a beleza que deixou de ter ao envelhecer –, quando diz "eu quero ficar só", na verdade está dizendo "não me esqueçam, prestem atenção em mim".

Isso é o esconder para ser procurado. Isso só faz quem quer estar em evidência. Aquele que quer ficar quieto no seu canto não constrói uma vida de exposição.

Se você quer o anonimato, seja anônimo – e não se torne célebre para depois dizer que quer o anonimato.

Apesar disso, não é difícil entender a postura de Greta Garbo. Brigitte Bardot, por exemplo, não se escondeu, manteve a exposição. E assim, aos poucos, foi sendo esquecida como a Brigitte Bardot deslumbrante, o símbolo sexual que mereceu estátua em Búzios. Foi esquecida até como a mulher idosa que é hoje, pois muitos não sabem quem ela foi ou é, assim como muitos que a conheceram dos filmes não sabem dizer se está viva ou não.

Assim, para não serem esquecidas, as pessoas fazem música, escrevem livro, tatuam o corpo, participam de comunidades virtuais, mergulham no Twitter, criam blogs. O que é manter um diário senão o desespero contínuo, o pedido silencioso e desesperado para que alguém o leia?

Ninguém, em sã consciência, faz um diário para si mesmo – isso seria um exercício psicopata.

O grande desejo de quem faz um diário é ser lido. O diário fica escondido apenas para aumentar a emoção, para atribuir mais valor ao que será alcançado. Nenhum de nós faz um diário, escreve poemas, pinta quadros, para que sejam esquecidos. Quem faz para ser esquecido tem problemas mentais, como Van Gogh, um louco que queimou boa parte de sua produção. Antes de ser um artista genial em sua arte, ele era um doente.

Insisto: ninguém faz um diário para ser mantido fechado, assim como ninguém produz nada para ser esquecido.

A caixa de Pandora, que guardava todos os males que poderiam afligir a humanidade, só se tornou um dos mitos mais importantes do Ocidente porque foi aberta. Se continuasse fechada, sem que ninguém visse seu conteúdo, não haveria mito algum.

Na sociedade da exposição e do espetáculo, ver e ser visto é fundamental. O velho ditado “diz-me com quem andas e te direi quem és” ressurge com força. Estar em boa companhia qualifica o acompanhante – até por isso, as pessoas gostam de ir a bares e outros lugares da moda, onde vão artistas e celebridades. Estar cercado de estrelas, de pessoas que brilham, tira o anônimo das sombras, diminui seu pavor da penumbra.

Esse pavor, aliás, está muito bem retratado em *Alice no país das maravilhas*, livro de Lewis Caroll. Alice cai num buraco escuro que a leva a outro mundo, do qual ela tenta desesperadamente voltar. Ela precisa voltar à luz, pois isso significa mostrar-se. Em outro livro, Caroll coloca Alice atrás do espelho. Na nossa sociedade, nós também temos pavor de ficar atrás do espelho, pois, nas histórias infantis, quem fica ali é a bruxa. Queremos ficar na frente, ter nossa imagem refletida. Por isso, inclusive, quebrar espelho traz má sorte – se quebro o espelho, como terei a minha imagem? E a minha exposição, onde fica?

Na peça *Entre quatro paredes*, o escritor e filósofo francês Jean-Paul Sartre conta a história de três pessoas, duas mulheres e um homem que, ao morrerem, se veem num quarto fechado sem saber como foram parar lá. Mas no quarto não há espelhos, e a única forma possível é ser visto pelos olhos dos outros, impedindo a auto-admiração e o reconhecimento. Como “o inferno são os outros”, frase da peça, calam-se sobre a outra pessoa.

Ora, o silenciar sobre mim é uma forma de me esquecer. O homem moderno quer viver em voz alta.

Caetano Veloso também disse em uma música que "Narciso acha feio o que não é espelho". É verdade.

Mas repare que Narciso é produto da vingança dos deuses, condenado a se apaixonar por si mesmo. Correlato a esse mito, na tragédia grega nada é mais forte do que Édipo, condenado a uma morte que não acontece e que, para se punir, arranca seus olhos. E, ao fazer isso, ele não verá como o veem e, assim, condena-se ao anonimato, a ser esquecido.

Esse mesmo tipo de esquecimento está em uma passagem do filme *Blade Runner*, dirigido por Ridley Scott. Nesse filme, os replicantes (mais conhecidos hoje como clones) não sabiam que eram replicantes nem que sua vida duraria apenas cinco anos. Quando descobrem, vão atrás do criador para matá-lo. E como fazem isso? Furando seus olhos. A maior vingança, ali, não era a morte do criador, mas impedir que ele visse e, assim, fosse esquecido.

Note que a falta de visão aqui não é uma deficiência, pois há muitos cegos que não veem, mas enxergam bem.

A falta de visão aqui é uma imagem, uma metáfora da incapacidade de alma que vez ou outra se apequena.

Como me tornei eu mesmo

E a exposição pessoal? Vale um pouco dela para reforçar alguns aprendizados memoráveis, isto é, que podem ser lembrados por mim e, eventualmente, servir a outras pessoas.

Uma das coisas que sempre me perguntam é como entrei na área de Filosofia, como profissão, como professor, com gosto, prazer ou perturbação. É impossível pensar o mundo da Filosofia sem pensar o mundo dos livros, pois ele se dá basicamente no campo teórico. Nós trabalhamos com aquilo que a humanidade recolheu e refletiu sobre o que chamamos de pensamento filosófico. Por isso, é impossível separar os livros da Filosofia.

Para eu ter contato com o pensamento de Platão, Aristóteles, Descartes, Kant, preciso ter acesso àquilo que foi registrado por eles. Assim, meu encanto com a Filosofia surgiu com os livros.

Nasci em Londrina, no norte do Paraná, em 1954. Meu pai era bancário, um homem sem escolaridade completa; tinha só o que hoje se chama de ensino fundamental. Minha mãe era professora, formada na antiga escola normal, mas que deixou de ensinar quando se casou. Os dois se mudaram jovens para lá, numa época em que se "desbravava" aquela região. Como gerente do Banco Mercantil de São Paulo, meu pai tinha a tarefa de abrir agências no norte do Paraná. Vivemos em Londrina até meus 13 anos, em 1967.

Como é que a Filosofia entra nessa história? Em primeiro lugar, eu morava numa casa com pais escolarizados; logo, livros não eram estranhos ao nosso cotidiano. Segundo, meu pai era um autodidata – embora só tivesse o fundamental, teve uma carreira bem-sucedida e se aposentou como diretor do banco. Numa casa que sempre teve muitos livros, minha mãe incentivava a leitura. Comecei com gibis, que eu adorava, e aos poucos peguei gosto pelos livros. Tenho um débito muito grande com o grupo Abril, dos Civita, cujas publicações foram decisivas em três momentos da minha vida.

Quando eu tinha uns 5 anos, todos os domingos, eu saía de casa de mãos dadas com meu pai ou com minha mãe e íamos até uma banca de jornal que ficava atrás da igreja para comprar o "Patinho", como eu chamava *O Pato Donald*, revista quinzenal que demorava para chegar em Londrina. Aprendi a ler com os gibis, e também com Monteiro Lobato. Não havia emissora de televisão e nem transmissão na minha época de garoto em Londrina. Durante o dia, ficava entre a escola e as brincadeiras com os amigos. À noite, antes de dormir, eu lia.

Com meus 10 anos, a Abril lançou uma enciclopédia chamada *Conhecer*, em fascículos quinzenais. Eu os colecionei, fascículo por fascículo, até somar os 12 volumes mais os três dicionários enciclopédicos. O último número daquele tempo saiu em 1969, trazendo o milésimo gol do Pelé. Quarenta anos depois, eu mantenho essa enciclopédia até hoje. Mas a questão é que eu não apenas comprava e colecionava, mas que eu lia tudo, verbete por verbete – o que gerou para mim uma cultura literalmente enciclopédica, em alguns momentos erudita, em outros pernóstica, uma vez que, com 12 anos, eu sabia que escaravelhos e outros besouros são coleópteros, chamava papagaio de psitacídeo, sabia que o nome científico da barata é *periplaneta americana*, que oplita era um soldado da infantaria pesada na Grécia Antiga, sabia o que era o Canal do Panamá, qual a capital da Tanzânia, os afluentes do Amazonas, o peso atômico do bário...

Essas informações acumuladas, ainda que superficiais, depois seriam fundamentais na minha vida, como aluno ou professor.

Em 1973, quando eu entrei na faculdade de Filosofia, já morando em São Paulo, a Abril lançou *Os Pensadores*, coleção de capa dura com textos dos principais filósofos. Na época, não havia nada parecido. Li toda a série, fascículo por fascículo. Foi assim que três publicações da Abril – *O Pato Donald, Conhecer* e *Os Pensadores* – formaram o assoalho sobre o qual construí um conhecimento que pode ser chamado de holístico.

Além disso, cultivei ao longo dos anos um hábito que meus amigos achavam muito estranho: eu lia dicionário. Começava a letra A em janeiro e lá pelo mês de setembro tinha chegado ao Z. Eu não lia para decorar. Apenas lia para ler. As informações ficavam adormecidas na memória, até o momento em que precisava acessar o estoque.

Às vezes era útil, às vezes não. Mas estava lá.

Da biblioteca de casa, tinha lido todos os infantis, dos irmãos Grimm a Monteiro Lobato, na época um autor proibido pela Igreja para católicos. Minha família era católica com bom senso. Para a Igreja, ele era identificado como comunista, algo que nunca foi. Mas, como ele era um nacionalista que defendia o petróleo, a Igreja associava uma coisa a outra e o tachava de comunista. Assim, livros como *Reinações de Narizinho* estavam no *Index Librorum Prohibitorum*.

Certamente a semente do gosto pela leitura sempre esteve comigo. Mas houve um fato que propiciou que ele se desenvolvesse – um fato que Darwin diria que foi fruto do acaso.

Aos 7 anos, eu era aluno do Grupo Escolar Hugo Simas, em Londrina, onde fui alfabetizado pela dona Mercedes. Nas férias de janeiro de 1961, meus pais decidiram visitar parentes que moravam no interior de São Paulo. Fomos de jipe. Na barreira que então separava os estados de São Paulo e Paraná, tive de ser vacinado contra hepatite. E, aí, eu peguei hepatite... Fui obrigado a ficar três meses de cama. O tratamento, na época, consistia em repouso absoluto (não podia levantar nem para tomar banho) acompanhado de duas injeções por dia e comida absolutamente sem sal.

Isso me levou a sonhar – e eu sonho até hoje – com a torta da Minie, aquelas tortas salgadas que ela fazia para o Mickey e colocava na janela para esfriar. Quando eu via aquilo nos gibis, salivava como um cão de Pavlov. Até hoje, quando vejo uma torta da Minie, eu salivo.

Para não enlouquecer nos três meses em que fiquei de cama, tinha três opções. A primeira era dormir bastante, o que eu não gostava. A segunda era ler, algo que eu já gostava devido aos gibis do Pato Donald – nessa época eu tinha um hábito de leitura que foi mantido até uns 20 anos de idade: eu colocava o gibi no chão e o lia deitado de bruços na cama, com a cabeça para fora. Mais tarde, como na evolução das espécies (no caso, a nossa), passei a ficar de pé para ler e, só depois, aprendi a sentar com o livro na mão.

A terceira opção para não enlouquecer era ouvir rádio. Ouvia novelas radiofônicas. Lembro até hoje da voz de Lima Duarte quando jovem. Ouvia as novelas *O direito de nascer* e *Jerônimo, herói do sertão*. Ouvia também as rádios Mairynk Veiga e a Nacional, ambas do Rio de Janeiro, transmitidas em ondas curtas. Ouvia um programa inesquecível para mim, o *Balança mas não cai*, com Paulo Gracindo e Brandão Filho. Também participava de alguns dos programas de rádio que havia em Londrina naquela época. Eu tinha um telefone ao lado da cama e então ligava para participar.

Além disso, lia jornais, inclusive a *Folha de Londrina*, que existe até hoje. Esse hábito devo a meu pai. Todos os dias, antes de sair de casa para o trabalho, ele deixava o jornal para mim e meu irmão mais novo, já falecido, e nos dizia: "Quando voltar, vou tomar o jornal" – tomar o jornal como quem toma a lição de casa. Assim, durante anos, ele tomou o jornal de mim e do meu irmão, perguntando o que tinha acontecido de mais importante em Londrina, no Rio de Janeiro, Brasília, a nova capital do país, os principais fatos no mundo. No começo, era odioso. Depois, se tornou um hábito, como tomar banho, escovar os dentes, fazer ginástica.

Então: durante a hepatite, além do rádio, havia gibi e jornal. Mas gibis e jornais são curtos e eu tinha muito tempo para preencher. Comecei a pedir emprestado os gibis da vizinhança. Em uma semana, já tinha consumido o estoque. Aí foi a vez de pedir emprestado os livros infantis – em um mês, todos os disponíveis estavam lidos. Como eu ainda tinha bastante tempo de cama, os vizinhos começaram a trazer seus outros livros – *Irmãos Karamazov*, *El Cid*, *Dom Quixote*, obras de Kafka. E eu fui lendo para passar o tempo, lendo sem entender nada, mas não tinha importância, eu me distraía com os clássicos da literatura. Ainda hoje, eu brinco dizendo que minha relação com a literatura é figadal, por causa da hepatite.

Mas o que isso tem a ver com a Filosofia?

Bem, para ser "filósofo", é preciso gostar de ler, ter dedicação ao mundo das ideias, o que eu fazia desde os 7 anos. Agora vem a revelação de um desejo: à medida que fui crescendo, tinha uma intenção clara – servir a humanidade.

Eu tinha dois modos de fazê-lo. O primeiro era seguir a noção de honra, bravura e valor que aprendi com os Romanos, seja com a literatura latina ou com filmes do Cecil B. DeMille (*Cleópatra* era um deles). Quando criança, eu tinha escudo, elmo e espada, tudo de plástico mas igual a dos romanos. Uma das minhas brincadeiras preferidas era simular lutas no quintal de casa – na minha imaginação, eu fui um general romano durante anos e anos da minha infância. Isso também ajudou a que, mais tarde, eu tomasse gosto pelo estudo da História, para saber como foram realmente as coisas que eu gostava de imitar.

O segundo modo era servir a humanidade inspirado nas muitas leituras que eu fazia, sobretudo nas histórias de grandes homens, de grandes exemplos da humanidade, como o líder indiano Gandhi ou o médico e teólogo Albert Schweitzer.

Naquele momento, para mim, o melhor jeito de atingir minha meta era entrar no clero católico. Assim, aos 14 anos, decidi que iria me dedicar ao sacerdócio e exercer atividades missionárias. Meus pais, que tinham mais bom senso do que eu, não me deixaram entrar com 14 anos. Mas com 17 eu entrei. E fui para a Ordem Carmelitana Descalça, que me levou a ficar três anos em um convento.

Por que o clero foi para mim uma opção? No Brasil de 1973, quando entrei no clero e na universidade, nós estávamos vivendo uma ditadura. Eu morava em São Paulo e, antes de entrar na faculdade, estudava num colégio público, o Marina Cintra, localizado na rua da Consolação, perto da rua Maria Antônia, onde ficava a Faculdade de Filosofia da Universidade de São Paulo e também, como até hoje, a Universidade Mackenzie (com parte dela no CCC, Comando de Caça aos Comunistas). Minha atuação política na época se dava no movimento secundarista e vivíamos nos confrontando com o pessoal do Mackenzie, universidade que admiro agora com alegria.

O clero foi uma escolha consciente em relação a uma experiência religiosa que eu queria adensar e aprofundar. Além disso, com suas missões, o clero proporcionava um trabalho social e, principalmente, oferecia a possibilidade de desenvolvimento do que eu entendia ser a minha tarefa na vida, a de auxiliar a humanidade. Na ditadura, a Igreja era a única entidade que atendia a todos os meus interesses.

O convento era um lugar enorme, com cerca de 100 quartos e 100 banheiros. Ali, na época, moravam seis pessoas, entre elas um de meus "professores", o brilhante e fascinante irmão Demetrius. Com seus 70 anos, poliglota, fluente nos principais idiomas, vivos ou mortos – em suas conversas, misturava português, latim e italiano –, leitor voraz, ele tinha visto de perto duas guerras mundiais. Imagine o deslumbramento de um rapaz como eu poder conviver com uma pessoa com tanto conhecimento e experiência de vida.

No convento, meu quarto tinha um catre, uma pia, uma mesa, uma cadeira e um cabide para pendurar o hábito. Dormia cedo, acordava às 4 da manhã, ia à capela fazer as vésperas e voltava ao quarto. A rotina incluía rezas – às seis horas da manhã, ao meio-dia, quatro da tarde, oito da noite e também à meia-noite – e trabalho manual, como cozinhar, cuidar da roupa, limpar o convento, lavar banheiro.

Tudo era comunitário. O dinheiro que lá havia ficava numa caixa de sapatos. Quando ia ao cinema, pegava algumas notas, assistia ao filme e, na volta, depositava o troco na caixinha.

Ali, aprendi a viver com menos, a levar uma vida mais simples. Aprendi a respeitar a hierarquia e a ter disciplina, vivendo numa ditadura do relógio, pois a Igreja preza a divisão do tempo, com horários rígidos para acordar, rezar, fazer tarefas, dormir. Aprendi muito com o estudo, consolidei minha formação, aprendi idiomas. E, como não há como estudar Teologia sem estudar Filosofia, para alguém como eu, que não se cansa de ler, era um mundo próximo do ideal.

Quando terminei minha formação, após o curso de Filosofia, decidi não continuar no clero, embora me mantivesse firme em meu propósito de ajudar a humanidade.

O que eu poderia fazer? A Filosofia era uma paixão (com o tempo se converteu em amor). Adorava o mundo da Literatura, da História, do pensamento, adorava pensar o pensamento.

No clero, também aprendi a pregar, isto é, a falar em público, procurando convencer e ensinar. Assim, tornar-me professor me pareceu um caminho natural. Com o tempo, fui aprendendo a transformar o complexo em simples e a me expressar com o que eu chamo de uma "profunda superficialidade" nas minhas provocações filosóficas, na minha filosofia do cotidiano.

Formei-me no final de 1975 e, antes da diplomação, a faculdade na qual eu estudava convidou-me para assumir aulas de Ética Social no ano seguinte, e também para atuar como assistente do professor doutor Paulo Afonso Caruso Ronca.

Antes de completar 22 anos de idade, lá estava eu como professor universitário e, na sequência, no ano seguinte, também iniciei a docência na Pontifícia Universidade Católica de São Paulo, lugar no qual me "exponho" até agora...

A CRIAÇÃO DE DIFERENCIAIS

Henry Kissinger, ex-secretário de Estado dos Estados Unidos da América, disse que "sexo é para principiantes; os experientes gostam é de poder". A questão central do poder é ser visto para não ser esquecido. Kissinger está certo. O que mais levaria certos políticos brasileiros que já tiveram tudo a continuar na vida pública até a degradação? O que leva alguém que poderia conviver mais com os netos, ter um *hobby*, desfrutar melhor a vida, o que leva esse alguém a se ver em situações constrangedoras? Para que continuar? Porque eles precisam continuar visíveis.

Por essa mesma razão, pessoas que têm certa exposição gostam de fazer um arquivo com tudo o que mencione seu nome. Eu, por exemplo, às vezes dou entrevistas para jornais e revistas. Eu dei a entrevista, sei o que falei, não preciso dela para me lembrar de nada mas mesmo assim quero recortá-la e guardá-la. Também por isso eu mando enquadrar a capa da revista com uma fotografia minha. Para quê? Ora, eu quero me ver vendo e sendo visto. Nem os *serial killers* fogem disso. Eles matam para ter exposição. Não é só o policial que recorta tudo o que saiu sobre o assassino nos jornais. O *serial killer* também guarda todos os recortes para se ver sendo visto. Assim, o maior castigo para um assassino desses seria não ter uma linha publicada nos jornais, seria ser ignorado.

O desejo de não ser esquecido assumiu muitas formas no mundo moderno. Até a desfiguração é uma forma de exposição – haja vista a trajetória de Michael Jackson, que se desfigurou a ponto de comprovar o filósofo Friedrich Nietzsche quando ele disse que "alguns homens nascem póstumos". A desfiguração contínua fez com que Michael Jackson perdesse sua identidade até ganhar uma outra identidade pública.

Note que "identidade pública" é uma contradição em termos, pois a noção de identidade só faz sentido para um indivíduo. Mesmo assim, a "identidade pública" é um dos maiores desejos da modernidade. Por isso, tantas garotas pagam a agências e fotógrafos para fazer um *book*. Se uma mãe já não tem idade para desfilar nas passarelas, tenta a todo custo que sua filha tenha a exposição que ela não teve. Se alguém foi viajar, faz questão de postar as fotos num blog ou numa comunidade virtual.

No fundo, tudo isso é o mesmo grito: "Olha eu aqui". Tudo é a personificação daquilo que Maurício Tapajós e Paulo César Pinheiro escreveram na música *Pesadelo*: "Você corta um verso, eu escrevo outro. Você me prende vivo, eu escapo morto. De repente olha eu de novo".

Numa época em que todo mundo tem as mesmas condições e a mesma facilidade de se expor, seja no Facebook, no Orkut, no Twitter, o excesso de exposição devolve as pessoas ao anonimato.

No desespero para se destacar na multidão, a única chance que resta é criar um diferencial – e, nesse jogo, parece que agora vale tudo. Um exemplo disso está no livro *Zonas úmidas*, da jornalista inglesa Charlotte Roche. É um livro escatológico sobre uma garota de 18 anos que já experimentou de tudo sobre sexo. Essa moça não usa perfume convencional – ela passa a mão no próprio sexo e depois espalha o cheiro pelo corpo, numa forma extremada de demarcar o diferencial do seu desejo de exposição.

Pergunto: depois disso, que outro tipo de registro, de diário, faltaria ser escrito por uma garota? Temos o diário de Anne Frank, que narra todo o desespero por ter ficado trancada num gueto durante o Holocausto. O diário de Anne Sulivan, que trata da capacidade de alguém enxergar sem enxergar. O diário de Bridget Jones, uma mulher que se sente desconfortável consigo mesma e que pensa em homens e calorias durante 95% do seu tempo. Diários de adolescentes, de felizes e infelizes, de perdidos e achados, diários de todo jeito. Como alguém faz para se diferenciar se quase tudo já foi feito?

Um coloca piercing, o outro também. Um expande a orelha, outro imita. Uma transa com quem quer, a outra também. Uma faz tatuagem, a outra vai atrás. Faço mais uma, duas, três tatuagens, o outro faz quatro, cinco, seis, até só sobrarem os olhos. E aí voltamos à desfiguração, que leva à perda de identidade. Se todos têm tatuagem no corpo todo, o que virá agora? Tirar toda a pele certamente seria um diferencial, assim como se perfumar com os próprios cheiros ou descobrir uma outra coisa que ninguém fez para se distinguir na multidão.

Hoje, a diferenciação está ligada à exposição hiperbólica, ao exagero pleno, ao grotesco. Nos nossos tempos, o grotesco se tornou altamente sedutor. É a mulher com a bunda do tamanho de melancia, o seio explodindo de silicone, o lábio inflado como uma boia de sinalização. É o homem com os músculos estourando, com o cabelo hiperproduzido, com a vaidade desvairada de uma diva ou uma violência desmedida a troco de nada.

A hipérbole é mais necessária para quem está por baixo. Veja o exemplo dos Estados Unidos da América da década de 1970, quando a nação mais militarizada do Ocidente foi humilhada pelos vietnamitas. Para resgatar sua autoestima, hiperbolizou a figura do herói de guerra, do Rambo. Antes disso, era um país que cresceu dizimando os índios e, por isso, precisou hiperbolizar a figura do "mocinho" e do *cowboy*. Essa compulsão ao exagero faz com que a penumbra e o anonimato sejam ainda mais desesperadores.

Essa, de verdade, é a divina comédia humana.

Fabricação do passado, anseio de futuro e desespero do consumo

Desde sempre, e mais ainda nestes tempos, nossos grandes medos vêm do escuro. O homem não teme o que vê, mas o que não vê.

Uma das clássicas imagens do medo e do terror está naqueles olhos que podem ser vistos na penumbra sem que se consiga identificar de quem são, se de homem ou animal, se de vampiro ou algo mais assustador.

Há 50 ou 60 anos, nos antigos seminários, conventos e colégios religiosos, havia um quadro, nos dormitórios, nos mictórios, no refeitório. Era um quadro do olho de Deus dentro de um triângulo. Abaixo da imagem, havia esses dizeres: "Deus vê tudo".

Nas tradições grega, romana e judaica, a visão de Deus ou dos deuses é terrível. Está aí a origem do terror diante de Deus: ser visto sem poder vê-lo. Ser visto sem saber como ele te vê. Não ser visto por você mesmo, mas ser visto só por ele. Como é uma situação sem saída, uma das maneiras que se encontrou de afastar o terror foi pintá-lo, retratá-lo de uma maneira menos agressiva. Surge então a imagem do senhor de barba branca, com jeito severo mas também paternal e amoroso.

O islamismo, por sua vez, é genial na manutenção do terror religioso (terror no seu sentido etimológico, de espanto); não há nem pode haver imagem de Alá, ou de Maomé, seu profeta. Como ele não morreu, pois foi levado aos céus, ele continua te vendo, sob a égide eventual do "ao infiel, a espada". A propósito, uma das forças do cristianismo também está no fato de que não existe cadáver de Jesus, na crença dos adeptos, pois ele não morreu; foi para os céus. A vitória da vida sobre a morte – que é o segredo do cristianismo – é a vitória da luz sobre a sombra.

O mundo medieval é um mundo de sombras. Mas o mundo que nasce com a Renascença é o mundo da gravura, da pintura, da imprensa, da exposição.

Você quer coisa que exponha mais do que a imprensa? O escritor Guy de Maupassant tem uma frase bem-humorada e maldosa que aponta o alcance dessa invenção: "Ao alfabetizar o vulgo, a tolice se liberta". Com a popularização de jornais, livros e revistas, as pessoas podem não só ler besteiras mas também escrevê-las e divulgá-las. A imprensa libertou a exposição e a internet a elevou à enésima potência.

Agora eu posso entrar no Google e ver quantas referências existem a meu respeito. Se não as encontro, isso é desesperador. De certa forma, o Orkut, o Facebook e o Twitter diminuem essa angústia – embora a substituam por outra. Nas comunidades virtuais, você cria suas referências e, sobretudo, vê e é visto. Por outro lado, as pessoas passam a se afligir numa competição desesperadora para ver quem consegue mais seguidores.

O anonimato, como antes falei, é o desespero. Para escapar desse subterrâneo, dessa penumbra numa sociedade que incentiva o consumo, o que resta às pessoas que não querem se identificar com o grotesco é tentar se destacar com a propriedade de bens. A capacidade de consumir, portanto, é o que vai dar valor às pessoas. E elas se sentirão mais valorizadas à medida que tiverem O carro, A tv, A roupa. Obviamente, os bens que atribuem valor variam conforme a camada social a cada qual pertence.

As camadas populares buscam coisas que brilham, indicadores de futuro, da luz no final do túnel. Por isso, compram móveis de fórmica ou de latão dourado. Móveis novos com linhas e cores futuristas, como são a maioria das cozinhas pre-moldadas.

Já a burguesia não quer futuro, pois isso já está quase garantido. A burguesia quer passado, que é algo que não tem. Como muitos de nós somos filhos de imigrantes, de gente que deixou seu país natal sem recursos, a atual burguesia das capitais não tem berço, tradição, heráldica – por isso, muitos compram em sites especializados a origem e o brasão da família.

Numa cidade como São Paulo, a classe média vai às feirinhas de antiguidades na praça Benedito Calixto ou no vão do Masp para comprar a cristaleira da vovó, a poltrona dos anos 1930, a luminária da década de 1940 ou a mesa que veio de uma fazenda do século passado – mesa que nunca é reformada, que é comprada para permanecer descascada, algo que nunca se verá nas casas populares. Nessas, móvel descascado é sinal de miséria. Na do burguês, de riqueza, pois o antigo tem valor.

É uma tendência tão forte que até se criou uma indústria de construção do antigo – Embu das Artes, em São Paulo, ou Tiradentes, em Minas Gerais, por exemplo, são polos de artesanato do passado, de fabricação das mais novas antiguidades que se podem adquirir.

Nesses lugares, no fundo, as pessoas vão atrás do conforto e da segurança de ter uma herança, um passado, uma história, uma família. Não deixa de ser outro sinal de desespero, ou infelicidade – nas feiras de antiguidade, é comum ver casais andando de mãos dadas em busca de laços que deem sentido a sua vida, não raro medíocre.

As camadas populares não precisam disso, pois já têm família. Aliás, sem família a vida não existe, pois não há como existir em meio à miséria sem laços. Família não quer dizer apenas pai, mãe, filhos, avós, primos e tios. No caso, é uma família ampliada que engloba vizinhos, a mulher da casa da esquina que empresta o açúcar, o cara da frente, aquele único que tem carro e leva quem precisa ao hospital de madrugada. A burguesia, por sua vez, se dá o direito de nem saber o nome do cara que mora na porta ao lado, pois pensa não ter nenhuma necessidade dele.

De qualquer modo, a família é um ninho de afeto e todos precisamos de afeto. Mas, no caso da burguesia, a família precisa ser construída por laços de história, ou laços de família.

A ideia de família ainda é estranha ao mundo burguês. Karl Marx estava certo ao dizer que o capital destruiu a família. Já a pobreza – que não foi atingida pelo capital a não ser como vítima – é solidária. Os vizinhos cuidam dos filhos da casa ao lado quando os pais estão no trabalho. Se o barraco desmorona, todo mundo que morava lá encontra abrigo na casa de alguém, pois, dizem, "onde comem cinco, comem dez". A burguesia, por sua vez, não sabe o que fazer nem com os pais idosos. Em vez de abrigá-los em sua moradia, paga para alguém cuidar deles em uma casa de saúde.

A burguesia também quer solidez. Por isso compra móveis pesados, camas de ferro, estátuas de bronze.

O proletariado quer leveza, quase nada escuro – de pesada, já basta a vida –, quer cores. Isso é assim no mundo todo – na África, principalmente na porção Sul da África, por exemplo, as pessoas se vestem com roupas coloridas, vibrantes.

A burguesia cultua o escuro, o tédio. Na Europa, o movimento punk, o movimento dark nascem ligados à ideia de um mundo que não lhes serve, um mundo impregnado de riquezas – mas é a mesma riqueza que os sustenta. O movimento hippie das décadas de 1960 e 1970, do qual fiz parte, carregava a ideia da simplicidade – e a simplicidade era o brilho. Era o *Flower power*, o poder da flor, da cor; não o da olheira, do rímel, da Amy Winehouse.

Alguns lugares do Brasil ainda guardam o passado belo e simples, como Penedo ou Visconde de Mauá, onde moram o que eu chamo de "viúvas do John Lennon", e onde há a maior concentração de óculos redondos do país. Assim como há os ninhos do pesado, do escuro, da balada gótica.

O gótico é o terror presente na vida – nos tempos medievais, as catedrais góticas eram propositalmente gigantescas, altíssimas, para que o homem se sentisse pequeno e diminuído diante de Deus. Como tendência, o gótico é sucedido pelo rococó do Barroco, pelo exagero do detalhe como diferencial (o punk, o gótico, o dark não deixam de ser o rococó revisitado, com seus cintos e braceletes com tachinhas, seus alfinetes, sua maquiagem escura e exagerada).

E o Barroco e seus rococós são substituídos, na Europa, pelo Romantismo, um movimento que é iluminado, que não tem nada de escuro – na música, por exemplo, surge Mozart, que consegue fazer uma missa de réquiem absolutamente esplendorosa.

Não é casual que a última obra de Beethoven seja uma ode à alegria.

Ainda bem; é a luz de novo.

Evolução nem sempre é para melhor

O autoconhecimento é um processo necessário e fundamental para a melhoria de si mesmo – um processo interminável, pois tudo o que acontece a nossa volta nos afeta e nos transforma. Mas, quando pensam em autoconhecimento, geralmente as pessoas cometem um equívoco, pois associam autoconhecimento à evolução – e encaram evolução, necessariamente, como aperfeiçoamento.

Não é assim. Nem toda evolução significa uma mudança para melhor. Na cabeça da maioria das pessoas, a palavra evolução também está associada ao Darwinismo. Mas o fato é que Darwin tinha vergonha de usar o termo evolução. Em seu diário, ele prefere usar a palavra transformação, e só usava evolução no sentido de mudança. Ele fala apenas que as espécies se transformam – algumas inclusive para pior, pois desapareceram. O câncer evolui, as encrencas, os problemas, os confrontos evoluem, e ninguém pode dizer que isso é uma coisa boa.

O século 20 no Ocidente foi marcado por essa ideia equivocada da evolução como melhoria. Esse equívoco começa a nascer no Renascimento, que introduz o antropocentrismo. Antes disso, no mundo medieval, prevalecia o teocentrismo, que colocava Deus como o centro do Universo. Na Renascença, o humano substitui o divino como figura central. Essa passagem é representada, sobretudo, por duas imagens. Uma é o *Homem vitruviano*, de Leonardo da Vinci, rascunhado em 1490, o célebre desenho de um homem nu no meio de um círculo. O segundo é a representação da Criação, por mim citada em outro trecho, pintada por Michelangelo no teto da Capela Sistina, a famosa cena do dedo de Deus encontrando o dedo de Adão – uma cena em que não fica claro se é Deus que está criando o Humano para não ficar sozinho no Universo ou se é o Humano que está criando Deus para não ficar sozinho no Universo.

Mais do que uma antroposofia, o que a Renascença propõe é uma antropolatria, ou uma adoração do Humano, num movimento que culminará, no século 18, no Iluminismo e, no 19, no Historicismo e no Positivismo. E é aqui que um dos maiores representantes do Positivismo, o filósofo inglês Herbert Spencer, vai criar a ideia da sobrevivência do mais forte – algo que Darwin nunca comungou, pois sua tese gira em torno da sobrevivência do mais apto, sem que isso esteja vinculado à força.

Pelo ponto de vista de Darwin, quais seres são os grandes vencedores na batalha pela vida? As bactérias, que são os seres com maior poder de adaptação. O paleontólogo americano

Stephen Jay Gold provou isso em números. Ele somou a massa de todas as bactérias que estão entre nós e constatou que o resultado é muito maior do que o peso dos mais de 6 bilhões de humanos que habitam a Terra. A antropolatria nos leva a cair numa armadilha que foi decantada por Shakespeare quando escreveu "que grande maravilha é o humano!".

O nosso romantismo, quando desvairado, nos faz olhar as estrelas e nos embevecer com a ideia de que somos os únicos capazes de admirá-las. Não haveria nada de errado se a questão se resumisse a admirá-las. Mas o ponto é que o Humano se sente proprietário das estrelas, ou mesmo a razão de ser das estrelas – e o Humano não é o centro do Universo nem o proprietário de nada além de suas posses terrenas.

O curioso é que a palavra evolução se vale de um radical usado no grego e no latim – o radical *vol* (formador de palavras como "envolver" e "vulva"), que mais tarde será utilizado como "rol", de "rolar", que dá a ideia de desenvolvimento. Por isso, desenvolvimento, em espanhol, é *desarollo*. O inglês não chegou até o "rol". Ficou no "vol", de envelope, de algo fechado em si mesmo. Assim, desenvolvimento, em inglês, é *development* – ou seja, algo que se tira do envelope, da redoma, e faz crescer.

Na antiguidade, havia a percepção de que o homem segue um roteiro que já estava escrito antes de ele nascer, como se apenas representasse um papel numa peça de teatro. Mas, na antropolatria, o homem se imagina dominador, proprietário da vida e da existência.

E aqui voltamos ao começo: supor que evolução sempre significa uma melhoria é um equívoco, inclusive de natureza etimológica, uma vez que o radical "vol" indica somente mudança, desenvolvimento – e não aperfeiçoamento.

O "homem moderno" fala em evolução sempre acreditando que todos nós estamos avançando e rumando para um ponto ideal, aquele que o teólogo francês Pierre de Chardin chamou de Ponto Ômega, que seria o ápice da Vida e da Criação. E, quando o homem passa a enxergar a evolução como uma caminhada rumo à perfeição, acaba mergulhando no território da obsessão evolucionista e derrapando no raciocínio equivocado de que, se nós evoluímos, estamos indo todos em direção a um futuro melhor.

A grande encrenca é que isso dificulta a compreensão de muitos problemas, inclusive a questão ecológica.

Se nós acreditamos que a humanidade sempre evoluirá para melhor, a tendência é esquecer a natureza deletéria do homem, esquecer que ele é um animal destrutivo. Assim, até a própria noção de ecologia fica prejudicada, uma vez que as pessoas cultivam uma esperança vã de que a humanidade só vai melhorar e que, portanto, todos os transtornos causados pelo homem – efeito estufa, mudanças climáticas, poluição, o desequilíbrio da vida – são ritos de passagem para um mundo melhor. É como se a humanidade acreditasse que em algum momento da existência haverá uma purificação natural e incontestável do homem.

Bem, no mínimo, isso é uma postura arrogante e, certamente, errada. É preciso ter esperança, mas não tem cabimento não fazer nada para mudar a situação e achar que, por pior que seja, vai melhorar no final.

Essa postura ameaça não só a ecologia mas toda a convivência de maneira geral, pois desliga um item imprescindível à sobrevivência e à civilização, que é o alarme.

De maneira geral, nossas medidas de prevenção existem para nos fazer prestar atenção em um perigo.

Mas há uma enorme diferença entre a pura espera e ter realmente esperança, ir atrás das coisas, fazê-las acontecer. No fundo, de certa maneira, o século 20 atormentou o mundo com a ideia de que tudo dará certo para o homem, uma ideia levada à alma popular pelo escritor Fernando Sabino quando disse que "no fim tudo dá certo; se ainda não deu certo, é porque ainda não chegou no fim".

Esse otimismo, porém, não muda o fato de que, assim como houve um começo, haverá um fim – não necessariamente da vida em si, mas talvez da nossa espécie, dizimada por catástrofe natural, meteoro, bomba, ignorância, vírus ou coisa parecida.

É por tal razão que evolução não necessariamente é melhoria – e nem autoconhecimento. Muita gente acha que se conhece bem e que é a melhor companhia para si mesmo, sem perceber que pode estar sozinho e mal acompanhado.

Isso acontece quando as pessoas se alienam, quando não têm clareza daquilo que fazem, quando produzem aquilo que o escritor Eduardo Giannetti da Fonseca usou como matéria-prima em um ótimo livro, *Auto Engano*. Auto-engano é o escondimento e a dissimulação de si mesmo.

Distraídos, perguntam alguns, alarme? Já soou?

Sexo, o simples e o complexo

Você pode achar que estou sendo reacionário, mas não estou, inclusive porque vivi também essa época e tenho certa noção (não toda, claro) do que estou dizendo: não dá para separar Darwin e Woodstock, o grande festival de rock que durou três dias, realizado numa fazenda americana em agosto de 1969.

A imagem mais forte do rock'n'roll é a selvageria; portanto, a pura natureza. O rock, o grito primal, a simplicidade primordial. O consumo de substâncias que nos fazem sair da racionalidade, a maconha, o LSD. O comportamento livre, a nudez, o se abraçar, o se juntar, o "paz e amor", o sexo. Isso sem falar no ar livre, na natureza, na lama – o local primordial, aquele em que rolamos nos primórdios da espécie. Em Woodstock, o astro foi Jimmy Hendrix, que morreu jovem e ajudou a cultuar a imagem da Supernova, de estrela que brilha muito e desaparece rápido, da vida bela e da vida breve.

Woodstock é uma representação fortíssima da nossa descida da árvore do paraíso direto para a lama. Woodstock ficou no passado associado a algo que está longe de ser um modelo, mas muito disso não se deveu a Woodstock, e sim a um grande show ao ar livre dos Rolling Stones, em dezembro de 1969, na Califórnia, no qual um jovem foi morto. Esse evento associou shows de rock à violência, embora isso não mude o fato de que o rock, o bom e velho rock, seja uma expressão darwinista do homem.

Já viu Jerry Lee Lewis tocando piano? É visceral, ele transava com o piano – algo condizente com a própria ideia dele de seguir seus instintos, que inclusive o levou a casar com uma parente de 13 anos e, portanto, ser acusado de pedofilia. E James Brown? Quer coisa mais darwiniana, mais animal, mais simples do que James Brown e sua *sex machine*?

Cabe perguntar: O que somos nós no nosso nível mais fundo, mais reptiliano, além de máquinas de sexo? Como disse antes, lembrando de Henry Kissinger, imaturos gostam de sexo, maduros gostam de poder. O poder é sexual e, como o sexo, é uma energia de dominação – não só de dominar mas de constranger o outro, de violá-lo, violar o corpo, a mente, às vezes no sentido de violência mesmo.

Em última instância, a palavra certa é profanação – profanar a natureza, os relacionamentos sociais, as relações pessoais, a dignidade do outro. As pulsões freudianas, seja a erótica ou a de morte, são poderosas.

A natureza humana padece da ausência de simplicidade. À primeira vista não parece, mas as palavras "evolução" e "simplicidade" têm relação. Como se viu, "evoluir" vem de *vol*, que significa rolar ou dobrar. A origem da palavra "simples" tem a ver com o radical indo-europeu *plek*, ou *plex*, que também significa "dobra". E *sim*, em latim, quer dizer único. Assim, uma coisa simples é aquela que tem uma só dobra, da mesma forma que dúplex tem duas, tríplex tem três e uma coisa complexa tem muitas dobras. A complexidade incomoda a humanidade. O homem tem dificuldade de explicar – isto é, dobrar para fora – coisas complexas.

A vida é complexa. E, quando tentamos explicar o complexo, não conseguimos viver o simples.

Essa é uma das razões por que o mundo masculino – que, na nossa cultura é mais básico, menos sofisticado, mais primal, mais simples – se irrita com a tendência de algumas mulheres de quererem explicar, de quererem "discutir a relação". E as mulheres se irritam com os homens que viram para o lado e dormem depois do sexo. Muitas mulheres podem encarar como desprezo, mas muitos homens não enxergam dessa maneira.

Como dizia Guimarães Rosa, "o animal satisfeito dorme". Assim, depois que o homem pratica uma de suas simplicidades naturais – o sexo –, nada mais natural que ele proceda a uma segunda simplicidade natural, o cochilo. Mas as mulheres gostariam que, ao praticar sexo, o homem ignorasse o mundo da natureza, mergulhasse no mundo cultural e atribuísse uma aura mística a algo que é essencialmente simples, e não complexo.

Essa característica atrapalha ainda mais a busca da felicidade, inclusive porque muita gente não compreende que felicidade não é um estado ou uma condição de permanência – algo que só poderia ser obtido no Nirvana ou em qualquer outro lugar onde a paixão inexista. A felicidade é uma ocorrência eventual, um instante, um episódio – e é exatamente pelo seu caráter passageiro que ela deve ser valorizada. Assim, a felicidade pode existir por causa de um desejo de algo ou alguém, mas também pela ausência de algo ou alguém. Desse modo, a felicidade pode estar em episódios breves como um gole numa taça de vinho, ou em um gole na cerveja ou em um suco.

Mas, se você faz essas mesmas coisas de forma continuada, logo o sabor e o prazer vão embora, pois é preciso haver a ausência, a carência para valorizar a percepção do presente. É como naquelas frases clássicas: "a abstinência prolongada é o melhor afrodisíaco" ou, para usar uma imagem mais gastronômica, "a fome é o melhor tempero". Fazer compras quando se está com fome é pedir para gastar mais, assim como ir ao supermercado depois do almoço é medida de economia.

O cheiro de um perfume pode ser delicioso num primeiro momento e enjoativo quinze minutos depois. Da mesma forma, a valorização da luz vem do escuro, e a valorização do escuro vem do excesso de claridade – algo que fica evidente no filme *Insônia*, no qual Al Pacino é um detetive que vai para o Alasca naquele período do ano em que o sol nunca se põe por lá, irradiando uma luz contínua e desesperadora.

A felicidade, assim como o erótico, precisa de latência, para repousar e renascer.

Felicidade
como vitalidade

Não é à toa que o homem celebra desde tempos imemoriais a noite mais curta do ano, o solstício de verão, e a noite mais longa do ano, o solstício de inverno. Apreciamos a noite mais longa por ela nos dar a sensação de finitude, que nos apavora e nos alerta para a importância do dia. E aproveitamos a noite mais curta – geralmente 23 de dezembro no hemisfério norte – "porque o sol há de brilhar mais uma vez, a luz há de chegar aos corações. Do mal será queimada a semente, o amor será eterno novamente", como cantou Nelson Cavaquinho.

Desse ponto de vista, não é casual que os latinos tenham criado uma festa chamada *Sol Invictus*, ou Sol Invencível. Também não por acaso, a partir do século 3, os cristãos deglutiram antropofagicamente essa festa e assumiram que Jesus nasceu naquele dia. Historicamente, isso não faz sentido. Aliás, mais do que isso: seria uma impossibilidade no inverno do hemisfério norte, na Palestina, ele ser adorado numa manjedoura – mesmo que as vaquinhas ficassem bafejando sobre ele, teria morrido imediatamente de pneumonia ou hipotermia.

Assim, não há evidências para o fato de Jesus ter nascido em 25 de dezembro, mas religião, mais do que um sistema de ideias, é um sistema de forças. As pessoas não abraçam uma religião para se sentirem mais sábias, e sim para se sentirem mais fortes. Por isso, é inútil discutir religião. Não porque não se possa – pode, pois ela é também um sistema de ideias – mas porque ela é, sobretudo, um sistema de crenças e forças. Por isso, discutir religião nunca é um debate teórico, seja sobre ideologia ou princípios. Discutir religião é tentar afrontar o que dá sentido à vida do outro. E aí tanto faz se é verdade ou não – o simples fato de alguém acreditar já basta. E isso pode nos deixar felizes.

Se felicidade é um episódio, resta saber: é um episódio de quê? De vibração da vida. De quando alguém sente a vida vibrar, quando uma centelha ou uma fagulha se acende em você de forma expressiva, quando você mesmo se sente brilhante, irradiando energia.

Em latim, a palavra *felix* tem um duplo sentido. Ela significa feliz, mas também significa fértil. Assim, felicidade é fertilidade – não apenas no sentido de reprodução, mas como sentimento de que a vida não cessa, de que não há esterilização dos sonhos nem desertificação do futuro. Quando me sinto vivo, me sinto impregnado de sonhos e futuro, ou de paraíso (a propósito, um parênteses: a ideia de paraíso, palavra persa que foi popularizada pelos hebreus, é uma ideia de quem vive no deserto, onde a valorização do oásis só pode existir para quem caminha em meio à areia escaldante. O oásis, ou o paraíso, é aquele lugar em que você não sofre mais, onde você descansa depois da longa travessia, onde você sente mais prazer por estar vivo, onde vibra por estar vivo).

Num exemplo banal de felicidade, algo parecido acontece comigo de manhã quando estou ouvindo música clássica no escritório e o gato vem e pula no meu colo e se esfrega em mim. Esse pequeno episódio me dá prazer – e me dá prazer também por ser um pequeno episódio, pois, se ele fizesse isso o tempo inteiro, o gato se tornaria chato e desagradável. Mas, ao fazer isso de maneira eventual – uma vida encostando em outra –, ele oferece a mim um carinho que faz minha vida vibrar e minha vibração funciona como um carinho para ele.

Outro momento de felicidade banal é quando começo a olhar e a mexer em algum dos meus 6.000 livros. Cada um dos livros que mexo é um pedaço da minha história. Eu olho para um deles e me lembro de quando e do por que de tê-lo comprado, se li ou não – pois há livros que a gente compra mas não lê, ou só lê um pedaço, mas que a gente compra porque não quer não tê-lo. Isso não é só uma questão de posse material. Está mais para um viciado que não convive com a ideia de que o estoque acabou. É como o fumante que, mesmo morando ao lado da padaria, precisa deixar um pacote guardado em casa "para uma emergência". Eu tenho muitos livros "para uma emergência" – para o caso de eu, que tenho amizade forte por livros, ficar sem uma alternativa de leitura. Às vezes vira paixão e isso me leva a ter um estoque irracional de livros que não li e, a julgar pelo tempo que estimo ter de vida, também não lerei.

Por outro lado, mesmo que não tenha lido, os livros têm cheiro – quem gosta de livros gosta de seu aroma, assim como quem gosta de carro gosta do cheiro de combustível ou de carro zero quilômetro (que, aliás, é um aroma fabricado, cientificamente estudado). Não gosto de carro, sequer tenho carteira de motorista. Gosto de livro e, portanto, gosto do cheiro de livro novo, do livro ao ser aberto, despaginado, violado, profanado, ao ser manchado pela água que derrubei, ou a comida ou a gota de azeite que caiu ali, ou os riscos, grifos e comentários que acrescentei – tudo isso realça o gosto de contemplar a biblioteca e me sentir feliz, revivendo a história de cada marca que deixei nos livros.

Isso é felicidade: sentir-se vivo. Há pessoas que se sentem felizes ao acumular riquezas. Outras, ao zelar pela família. Outras ainda ao curtir seus livros e suas plantas. Tenho um filodendro que está comigo há mais de 40 anos. Eu tinha 10 anos quando o ganhei e ele já foi comigo para todos os lugares em que vivi. De manhã, quando vejo o sol bater nele, quando vejo que ele está bem por estar ali, eu me sinto feliz. Quando já estou dormindo e Janete, a mulher com quem sou casado há mais de 25 anos, chega em casa e me dá um beijo, ou passa a mão no meu rosto, tenho uma sensação imensa de felicidade. Com esses exemplos, quero dizer que a felicidade está no simples, e não no complexo. Quer algo mais simples do que uma criança rasgar o papel que embrulha o presente?

Isso é o caminho mais curto para felicidade, sem nenhum tipo de meticulosidade. Abrir um presente de maneira meticulosa é a negação da felicidade, puxando a ponta de um durex aqui, tirando o nozinho do barbante acolá, puxando o papel com cuidado para não amassar. Isso é coisa de neurótico, de gente que não vive a alegria do momento, que não vive certas seduções.

Adão e Eva desobedeceram Deus e comeram o fruto proibido para serem felizes. Se não tivessem caído em tentação, permaneceriam imortais. E a imortalidade é insuportável, ainda mais quando se vive num mundo perfeito – como não há ausência de felicidade do paraíso, ninguém poderia se sentir feliz ali.

Insisto na ideia: Adão e Eva desobedecem Deus para poderem ser mortais. Para poderem sentir seus corpos. Para sentirem dor e depois alívio. Cansaço e depois o descanso. O paraíso devia ser tedioso. A serpente cumpre uma grande função, ainda que de natureza simbólica: ela nos permite a felicidade.

A felicidade é um momento. A possibilidade de não ter ausência impede a felicidade. O erótico só é erótico porque na maioria do tempo vivemos cercados de coisas sem nenhum erotismo. Se o erótico fosse permanente, não haveria revistas eróticas – que só são compradas todo mês porque os momentos eróticos se esgotam. Ou as revistas de decoração e suas casas maravilhosas que a maioria das pessoas nunca terá – e nem precisam ter, pois não se compram revistas assim para possuir imóveis, e sim para fruir a sensação de como seria ter uma casa dessas, numa espécie de posse virtual. Ou se compra uma revista de gastronomia para se deliciar com os olhos e não necessariamente com o estômago. O fato é que as pessoas compram essas revistas para se sentirem bem, para se sentirem mais felizes.

Só a carência permite momentos felizes. E esse é o nosso grande desafio aos deuses: não só o desejo de sermos felizes, como a possibilidade efetiva de sermos – ao contrário dos deuses, que em todas as mitologias são representados como entidades atormentadas.

Felizes são os humanos, pois não são felizes sempre – mas, quando são, podem fruir a felicidade com grande intensidade.

Desejo, necessidade, vontade

A felicidade está em enxergar o proibido – não em praticá-lo. Sobre isso, Stendhal, grande escritor francês, tem uma passagem ótima em um de seus contos. Numa tarde de calor escaldante, uma princesa está na sacada do palácio deliciando-se com um magnífico *sorbée*, o sorvete da época. De repente, ela pensa: "Pena que não é pecado".

Assim é o mundo: a noção do proibido, o impedimento de fazer algo aumenta o gosto e o desejo – da mesma forma que o desejo só existe enquanto não é saciado. Desejo realizado é desejo esgotado, é desejo que deixou de existir, como escreveu um dia o filósofo alemão Friedrich Nietzsche: "O vitorioso também será derrotado pela vitória".

Falar em pecado é impossível sem falar da virtude. O que é um pecado? É a maximização da virtude; ou seja, é a virtude exagerada. Assim, pelo excesso, uma admiração se torna inveja. A virtude do prazer, por sua vez, vira luxúria. Quando exagerada, a virtude da indignação se transforma em ira. O orgulho muda para soberba e o descanso exagerado, preguiça.

Há uma grande diferença entre desejo, vontade e necessidade. Desejo é um impulso vital. Vontade é uma carência transitória, a inclinação em direção a algo num certo momento. A necessidade é uma urgência.

Uma necessidade é satisfeita, uma vontade é suprida. Uma pessoa tem necessidade de comer, de beber, de ganhar a vida. Tem vontade de comer pipoca, de tomar guaraná no final da tarde, de encontrar alguém – e essas vontades desaparecem quando a carência é suprida. E o desejo é uma energia constante, aquilo que impulsiona uma pessoa, algo que ela não pode deixar de ter em seu horizonte.

O desejo não é um estado, não é um lugar aonde eu chego. O desejo é o horizonte, aquilo que norteia, mas nunca se alcança. Como escreveu Eduardo Galeano sobre a utopia como horizonte, eu caminho dois passos em direção ao horizonte e o horizonte se afasta dois passos de mim. Caminho dez passos e ele se afasta dez passos. O horizonte não existe para que se chegue até ele, e sim para não me impedir de caminhar – o desejo é que impede que eu pare de caminhar. Por isso, o desejo é imortal.

É preciso lembrar que só os humanos são mortais, pois só os humanos sabem que vão morrer – os demais animais não lidam com o conceito de finitude e, portanto, não são mortais. Assim, os cães e os gatos, por exemplo, vivem a eternidade, dado que passam o dia como se fosse o único, enquanto sabemos que para nós pode ser o último.

O que é a imortalidade? É um presente contínuo, um presente sem fim. Com exceção do homem, todo animal vive um presente eterno, sem a preocupação do futuro. Ele vive, portanto, a imortalidade e, assim, é imortal. Nós não. Os humanos somos os únicos animais que têm noção de presente, passado e futuro – e também os únicos animais que possuem a capacidade de se sentir idiota. Eu, Mario Sergio Cortella, posso me recordar de três anos atrás e pensar: "como eu pude dizer uma asneira tão grande para ela?". Assim, ao me recordar disso, me sinto idiota desde aquela época até o presente momento.

A noção de tempo anda de mãos dadas com os nossos desejos, essa energia que nos conduz, que nos dirige aos nossos horizontes. Essa energia morre conosco na hora do "descanso eterno". Por que essa expressão? Descansar do quê? Descansar do desejo incessante, pois o desejo dá vida e viver cansa. "Quem sou eu?", "o que eu quero?", "como consigo o que falta?", "estou mesmo no caminho certo?". Nós passamos o tempo todo em busca de respostas, que estão sempre no horizonte, um horizonte que jamais se atinge e, por isso, impede que eu deixe de caminhar, de procurar as minhas respostas. Só tira a própria vida aquele que perdeu o desejo, pois o desejo é sinônimo da vida.

Vida é vibração. Átomos vibram. Somos compostos de moléculas, que são átomos em vibração. Átomos animados – sendo que *anima*, em latim, quer dizer alma. Por que átomos vibram?

Eis uma pergunta que nem os melhores cientistas conseguiram dar uma resposta satisfatória. Mas eu tenho uma suspeita de origem filosófica: átomos vibram porque eles não podem não vibrar. Em outras palavras, vibram porque têm necessidade de vibrar.

Note que a tríade desejo, vontade e necessidade não se separa. Vida é sempre desejo, vontade e necessidade. Assim, na morte, cessam-se desejos, vontades e necessidades. Se é assim, por que se fala em desejo imortal? Para responder isso, é preciso entender de onde vem a palavra "morte". Morte, no grego antigo, está ligada ao termo *lethos*, ou seja, à ideia de esquecer, ao esquecimento. É daí que vem "letal".

Assim, quem morreu não vibra mais, não chama atenção e, portanto, é esquecido. Por outro lado, também no grego clássico, *alethos* – ou não mortal, aquilo que não é esquecido e, portanto, vive para sempre – é sinônimo de verdade (ou *aletheia*). A verdade é eterna, não morre jamais. A verdade é a essência. A essência, por sua vez, é imortal. E a essência humana é o desejo. Por isso, ele é a minha verdade.

E chegamos aqui a uma das questões mais difíceis para qualquer ser humano: "Qual é a sua verdade?". "Qual é a sua essência?". No dia em que você se for, essas questões irão embora com você. O que permanecerá de você no mundo?

Permanecerá o seu legado. Permanecerá aquilo que você ensinou, aquilo que ensignou, as marcas que deixou. Permanecerá a sua verdade e a sua essência.

Razões da existência

Cada pessoa tem, claro, seu próprio modo de pensar as coisas. Como você notou na leitura, em muitos momentos gosto de pensar pela ausência.

Sempre que posso, procuro passar esse conceito, em palestras ou nas aulas dos cursos de mestrado e doutorado. Se um dos meus alunos, por exemplo, quer fazer um estudo sobre a importância da Educação Física no currículo do ensino fundamental, ou sobre a presença da Arte-Educação no aprendizado infantil, eu digo: "A primeira coisa que você precisa pensar é: Se a Educação Física não existisse, que falta faria? Se não houvesse Arte-Educação, que falta faria?".

Isso é fundamental, pois razões de carência são razões de existência. Como disse o escritor e pensador argelino-francês Albert Camus, "boas razões para morrer são boas razões para viver" (até por isso ele também disse que só há uma questão filosófica verdadeiramente séria: o suicídio).

Nesse caso, seguindo a linha de raciocínio do "que falta faria?", uma questão fundamental para qualquer pessoa é: "Se eu não existisse, que falta faria?", ou "que falta faço eu?". Essas respostas estabelecem minhas razões de existência, e também os senões da minha existência.

Esse tipo de questionamento se tornou um hábito em minha vida. No primeiro dia do ano, num gesto físico mas também simbólico, pego uma folha de papel e traço uma linha no meio, criando duas colunas. Na da esquerda, escrevo no alto da página: "Apesar de". Na da direita, "Por causa de". Então elejo os principais temas do ano que passou e começo a pensar sobre eles, a analisá-los. No começo de 2009, por exemplo, refleti sobre estes três temas, entre outros: continuo morando em São Paulo, continuo sendo professor e continuo casado. Sobre a cidade, ponderei: "moro em São Paulo há mais de 40 anos 'apesar' do trânsito, da poluição, da violência. E continuo morando 'por causa' da profusão de atividades culturais, do mercado de trabalho, das oportunidades, dos contatos, da universidade, dos meus filhos que moram na cidade".

Se a coluna do "Apesar de" fica com mais itens – ou, em outras palavras, se os "senões" ultrapassam as "razões" –, alguma coisa precisa ser repensada com seriedade ou mudada na minha vida. Se a do "Por causa de" fica mais cheia – se as "razões" são superiores aos "senões" –, então estou no caminho certo. Aliás, é por isso mesmo que continuo sendo professor e continuo casado...

O que vale é ter razões, não senões. Razões para viver, para pensar, para agir. Mas note que os senões são fundamentais para você contrabalançar aquilo que faz.

Viver em paz para morrer em paz! Viver em paz não é viver sem problemas, sem atribulações, sem tormentas. Viver em paz é viver com a clareza de estar fazendo o que precisa ser feito, ou seja, não apequenar a própria vida e nem a de outra pessoa, ou qualquer outra vida. Viver em paz é repartir amizade, lealdade, fraternidade, solidariedade, vitalidade.

Morrer em paz é poder ter-se livrado das tentações da futilidade de muitos propósitos, recusado a atração pela vacuidade de intenções e afastado a indecência de uma vida apequenada, infértil e desértica.

Continua valendo a pergunta, para você, e para mim: se você não existisse (se eu não existisse), que falta faria?

Editora Saraiva

Rua Henrique Schaumann, 270 - CEP: 05413-010
Pinheiros - Tel.: PABX (0XX11) 3613-3000
Fax: (11) 3611-3308 - Televendas: (0XX11) 3613-3344
Fax Vendas: (0XX11) 3611-3268 - São Paulo - SP
Endereço Internet: http://www.editorasaraiva.com.br

FILIAIS:

AMAZONAS/RONDÔNIA/RORAIMA/ACRE
Rua Costa Azevedo, 56 - Centro
Fone/Fax: (0XX92) 3633-4227 / 3633-4782
Manaus

BAHIA/SERGIPE
Rua Agripino Dórea, 23 - Brotas
Fone: (0XX71) 3381-5854 / 3381-5895 / 3381-0959
Salvador

BAURU/SÃO PAULO
(sala dos professores)
Rua Monsenhor Claro, 2-55/2-57 - Centro
Fone: (0XX14) 3234-5643 / 3234-7401
Bauru

CAMPINAS/SÃO PAULO
(sala dos professores)
Rua Camargo Pimentel, 660 - Jd. Guanabara
Fone: (0XX19) 3243-8004 / 3243-8259
Campinas

CEARÁ/PIAUÍ/MARANHÃO
Av. Filomeno Gomes, 670 - Jacarecanga
Fone: (0XX85) 3238-2323 / 3238-1331
Fortaleza

DISTRITO FEDERAL
SIA/SUL Trecho 2 Lote 850 — 71200-020 —
Setor de Indústria e Abastecimento
Fone: (0XX61) 3344-2920 / 3344-2951 / 3344-1709 —
Brasília

GOIÁS/TOCANTINS
Av. Independência, 5330 - Setor Aeroporto
Fone: (0XX62) 3225-2882 / 3212-2806 / 3224-3016
Goiânia

MATO GROSSO DO SUL/MATO GROSSO
Rua 14 de Julho, 3148 - Centro
Fone: (0XX67) 3382-3682 / 3382-0112
Campo Grande

MINAS GERAIS
Rua Além Paraíba, 449 - Lagoinha
Fone: (0XX31) 3429-8300
Belo Horizonte

PARÁ/AMAPÁ
Travessa Apinagés, 186 - Batista Campos
Fone: (0XX91) 3222-9034 / 3224-9038 / 3241-0499
Belém

PARANÁ/SANTA CATARINA
Rua Conselheiro Laurindo, 2895 - Prado Velho
Fone: (0XX41) 3332-4894
Curitiba

PERNAMBUCO/ ALAGOAS/ PARAÍBA/ R. G. DO NORTE
Rua Corredor do Bispo, 185 - Boa Vista
Fone: (0XX81) 3421-4246 / 3421-4510
Recife

RIBEIRÃO PRETO/SÃO PAULO
Av. Francisco Junqueira, 1255 - Centro
Fone: (0XX16) 3610-5843 / 3610-8284
Ribeirão Preto

RIO DE JANEIRO/ESPÍRITO SANTO
Rua Visconde de Santa Isabel, 113 a 119 - Vila Isabel
Fone: (0XX21) 2577-9494 / 2577-8867 / 2577-9565
Rio de Janeiro

RIO GRANDE DO SUL
Av. A. J. Renner, 231 - Farrapos
Fone: (0XX51) 3371-4001 / 3371-1467 / 3371-1567
Porto Alegre

SÃO JOSÉ DO RIO PRETO/SÃO PAULO
(sala dos professores)
Av. Brig. Faria Lima, 6363 - Rio Preto Shopping Center
Vila São José
Fone: (0XX17) 227-3819 / 227-0982 / 227-5249
São José do Rio Preto

SÃO JOSÉ DOS CAMPOS/SÃO PAULO
(sala dos professores)
Rua Santa Luzia, 106 - Jd. Santa Madalena
Fone: (0XX12) 3921-0732
São José dos Campos

SÃO PAULO
Av. Antártica, 92 — Barra Funda
Fone: PABX (0XX11) 3613-3000 / 3611-3308
São Paulo

VERSAR

EditoraVersar
Rua Albino Rodrigues Costa, 36
04016-020 — São Paulo — SP
Telefone: 5083-1274
www.versar.com.br

Impressão e Acabamento
Bartira
G r á f i c a
(011) 4393-2911